活着

To Live

余华

著

北 京 出 版 集 团
北京十月文艺出版社

新经典文化股份有限公司
www.readinglife.com
出　品

自序

　　一位真正的作家永远只为内心写作，只有内心才会真实地告诉他，他的自私、他的高尚是多么突出。内心让他真实地了解自己，一旦了解了自己也就了解了世界。很多年前我就明白了这个原则，可是要捍卫这个原则必须付出艰辛的劳动和长时期的痛苦，因为内心并非时时刻刻都是敞开的，它更多的时候倒是封闭起来，于是只有写作、不停地写作才能使内心敞开，才能使自己置身于发现之中，就像日出的光芒照亮了黑暗，灵感这时候才会突然来到。

　　长期以来，我的作品都是源于和现实的那一层紧张关系。我沉湎于想象之中，又被现实紧紧控制，我明确感受着自我的分裂，我无法使自己变得纯粹，我曾经希望自己成为一位童话作家，要不就是一位实实在在作品的拥有者，如果我能够成为这两者中的任何一个，我想我内心的痛苦将轻微很多，可是与此同时我的力量也会削弱很多。

事实上我只能成为现在这样的作家，我始终为内心的需要而写作，理智代替不了我的写作，正因为此，我在很长一段时间里是一个愤怒和冷漠的作家。

　　这不只是我个人面临的困难，几乎所有优秀的作家都处于和现实的紧张关系中，在他们笔下，只有当现实处于遥远状态时，他们作品中的现实才会闪闪发亮。应该看到，这过去的现实虽然充满了魅力，可它已经蒙上了一层虚幻的色彩，那里面塞满了个人想象和个人理解。真正的现实，也就是作家生活中的现实，是令人费解和难以相处的。

　　作家要表达与之朝夕相处的现实，他常常会感到难以承受，蜂拥而来的真实几乎都在诉说着丑恶和阴险，怪就怪在这里，为什么丑恶的事物总是在身边，而美好的事物却远在海角。换句话说，人的友爱和同情往往只是作为情绪来到，而相反的事实则是伸手便可触及。正像一位诗人所表达的：人类无法忍受太多的真实。

　　也有这样的作家，一生都在解决自我和现实的紧张关系，福克纳是一个成功的例子，他找到了一条温和的途径，他描写中间状态的事物，同时包容了美好和丑恶，他将美国南方的现实放到了历史和人文精神之中，这是真正意义上的文学现实，因为它连接了过去和将来。

　　一些不成功的作家也在描写现实，可是他们笔下的现实说穿了只是一个环境，是固定的、死去的现实。他们看不到人是怎样走过来的，也看不到怎样走去。当他们在描写斤斤计较的人物时，我们会感到作家本人也在斤斤计较。这样的作家是在写实在的作品，而不是现实的作品。

前面已经说过，我和现实关系紧张，说得严重一点，我一直是以敌对的态度看待现实。随着时间的推移，我内心的愤怒渐渐平息，我开始意识到一位真正的作家所寻找的是真理，是一种排斥道德判断的真理。作家的使命不是发泄，不是控诉或者揭露，他应该向人们展示高尚。这里所说的高尚不是那种单纯的美好，而是对一切事物理解之后的超然，对善和恶一视同仁，用同情的目光看待世界。

正是在这样的心态下，我听到了一首美国民歌《老黑奴》，歌中那位老黑奴经历了一生的苦难，家人都先他而去，而他依然友好地对待这个世界，没有一句抱怨的话。这首歌深深地打动了我，我决定写下一篇这样的小说，就是这篇《活着》，写人对苦难的承受能力，对世界乐观的态度。写作过程让我明白，人是为活着本身而活着的，而不是为了活着之外的任何事物所活着。我感到自己写下了高尚的作品。

海盐，一九九三年七月二十七日

我比现在年轻十岁的时候，获得了一个游手好闲的职业，去乡间收集民间歌谣。那一年的整个夏天，我如同一只乱飞的麻雀，游荡在知了和阳光充斥的农村。我喜欢喝农民那种带有苦味的茶水，他们的茶桶就放在田埂的树下，我毫无顾忌地拿起积满茶垢的茶碗舀水喝，还把自己的水壶灌满，与田里干活的男人说上几句废话，在姑娘因我而起的窃窃私笑里扬长而去。我曾经和一位守着瓜田的老人聊了整整一个下午，这是我有生以来瓜吃得最多的一次，当我站起来告辞时，突然发现自己像个孕妇一样步履艰难了。然后我与一位当上了祖母的女人坐在门槛上，她编着草鞋为我唱了一支《十月怀胎》。我最喜欢的是傍晚来到时，坐在农民的屋前，看着他们将提上的井水泼在地上，压住蒸腾的尘土，夕阳的光芒在树梢上照射下来，拿一把他们递过来的扇子，尝尝他们的盐一样咸的咸菜，看看几个年轻女人，和男人们说着话。

我头戴宽边草帽，脚上穿着拖鞋，一条毛巾挂在身后的皮带上，让它像尾巴似的拍打着我的屁股。我整日张大嘴巴打着哈欠，散漫地走在田间小道上，我的拖鞋吧嗒吧嗒，把那些小道弄得尘土飞扬，仿佛是车轮滚滚而过时的情景。

　　我到处游荡，已经弄不清楚哪些村庄我曾经去过，哪些我没有去过。我走近一个村子时，常会听到孩子的喊叫：

　　"那个老打哈欠的人又来啦。"

　　于是村里人就知道那个会讲荤故事会唱酸曲的人又来了。其实所有的荤故事所有的酸曲都是从他们那里学来的，我知道他们全部的兴趣在什么地方，自然这也是我的兴趣。我曾经遇到一个哭泣的老人，他鼻青脸肿地坐在田埂上，满腹的悲哀使他变得十分激动，看到我走来他仰起脸哭声更为响亮。我问他是谁把他打成这样的，他用手指挖着裤管上的泥巴，愤怒地告诉我是他那不孝的儿子，当我再问为何打他时，他支支吾吾说不清楚了，我就立刻知道他准是对儿媳干了偷鸡摸狗的勾当。还有一个晚上我打着手电赶夜路时，在一口池塘旁照到了两段赤裸的身体，一段压在另一段上面，我照着的时候两段身体纹丝不动，只是有一只手在大腿上轻轻搔痒，我赶紧熄灭手电离去。在农忙的一个中午，我走进一家敞开大门的房屋去找水喝，一个穿短裤的男人神色慌张地挡住了我，把我引到井旁，殷勤地替我打上来一桶水，随后又像耗子一样蹿进了屋里。这样的事我屡见不鲜，差不多和我听到的歌谣一样多，当我望着到处都充满绿色的土地时，我就会进一步明白庄稼为何长得如此旺盛。

那个夏天我还差一点谈情说爱，我遇到了一位赏心悦目的女孩，她黝黑的脸蛋至今还在我眼前闪闪发光。我见到她时，她卷起裤管坐在河边的青草上，摆弄着一根竹竿在照看一群肥硕的鸭子。这个十六七岁的女孩，羞怯地与我共同度过了一个炎热的下午，她每次露出笑容时都要深深地低下头去，我看着她偷偷放下卷起的裤管，又怎样将自己的光脚丫子藏到草丛里去。那个下午我信口开河，向她兜售如何带她外出游玩的计划，这个女孩又惊又喜。我当初情绪激昂，说这些也是真心实意。我只是感到和她在一起身心愉快，也不去考虑以后会是怎样。可是后来，当她三个强壮如牛的哥哥走过来时，我才吓一跳，我感到自己应该逃之夭夭了，否则我就会不得不娶她为妻。

我遇到那位名叫福贵的老人时，是夏天刚刚来到的季节。那天午后，我走到了一棵有着茂盛树叶的树下，田里的棉花已被收起，几个包着头巾的女人正将棉秆拔出来，她们不时抖动着屁股摔去根须上的泥巴。我摘下草帽，从身后取过毛巾擦去脸上的汗水，身旁是一口在阳光下泛黄的池塘，我就靠着树干面对池塘坐了下来，紧接着我感到自己要睡觉了，就在青草上躺下来，把草帽盖住脸，枕着背包在树荫里闭上了眼睛。

这位比现在年轻十岁的我，躺在树叶和草丛中间，睡了两个小时。其间有几只蚂蚁爬到了我的腿上，我沉睡中的手指依然准确地将它们弹走。后来仿佛是来到了水边，一位老人撑着竹筏在远处响亮地吆喝。我从睡梦里挣脱而出，吆喝声在现实里清晰地传来，我起身后，看到近旁田里一个老人正在开导一头老牛。

犁田的老牛或许已经深感疲倦，它低头伫立在那里，后面赤裸着脊背扶犁的老人，对老牛的消极态度似乎不满，我听到他嗓音响亮地对牛说道：

"做牛耕田，做狗看家，做和尚化缘，做鸡报晓，做女人织布，哪头牛不耕田？这可是自古就有的道理，走呀，走呀。"

疲倦的老牛听到老人的吆喝后，仿佛知错般地抬起了头，拉着犁往前走去。

我看到老人的脊背和牛背一样黝黑，两个进入垂暮的生命将那块古板的田地耕得哗哗翻动，犹如水面上掀起的波浪。随后，我听到老人粗哑却令人感动的嗓音，他唱起了旧日的歌谣，先是咿呀啦呀唱出长长的引子，接着出现两句歌词——

皇帝招我做女婿，路远迢迢我不去。

因为路途遥远，不愿去做皇帝的女婿。老人的自鸣得意让我失声而笑。可能是牛放慢了脚步，老人又吆喝起来：

"二喜、有庆不要偷懒，家珍、凤霞耕得好，苦根也行啊。"

一头牛竟会有这么多名字？我好奇地走到田边，问走近的老人：

"这牛有多少名字？"

老人扶住犁站下来，他将我上下打量一番后问：

"你是城里人吧？"

"是的。"我点点头。

老人得意起来："我一眼就看出来了。"

我说："这牛究竟有多少名字？"

老人回答："这牛叫福贵，就一个名字。"

"可你刚才叫了几个名字。"

"噢——"老人高兴地笑起来，他神秘地向我招招手，当我凑过去时，他欲说又止，他看到牛正抬着头，就训斥它：

"你别偷听，把头低下。"

牛果然低下了头，这时老人悄声对我说：

"我怕它知道只有自己在耕田，就多叫出几个名字去骗它，它听到还有别的牛也在耕田，就不会不高兴，耕田也就起劲啦。"

老人黝黑的脸在阳光里笑得十分生动，脸上的皱纹欢乐地游动着，里面镶满了泥土，就如布满田间的小道。

这位老人后来和我一起坐在了那棵茂盛的树下，在那个充满阳光的下午，他向我讲述了自己。

四十多年前，我爹常在这里走来走去，他穿着一身黑颜色的绸衣，总是把双手背在身后，他出门时常对我娘说：

　　"我到自己的地上去走走。"

　　我爹走在自己的田产上，干活的佃户见了，都要双手握住锄头恭敬地叫一声：

　　"老爷。"

　　我爹走到了城里，城里人见了都叫他先生。我爹是很有身份的人，可他拉屎时就像个穷人了。他不爱在屋里床边的马桶上拉屎，跟牲畜似的喜欢到野地里去拉屎。每天到了傍晚的时候，我爹打着饱嗝，那声响和青蛙叫唤差不多，走出屋去，慢吞吞地朝村口的粪缸走去。

　　走到了粪缸旁，他嫌缸沿脏，就抬脚踩上去蹲在上面。我爹年纪大了，屎也跟着老了，出来不容易，那时候我们全家人都会听到他在村口嗷嗷叫着。

　　几十年来我爹一直这样拉屎，到了六十多岁还能在粪缸上一蹲就是半晌，那两条腿就和鸟爪一样有劲。我爹喜欢看着天色慢慢黑下来，罩住他的田地。我女儿凤霞到了三四岁，常跑到村口去看她爷爷拉屎，我爹毕竟年纪大了，蹲在粪缸上腿有些哆嗦，凤霞就问他：

　　"爷爷，你为什么动呀？"

我爹说："是风吹的。"

那时候我们家境还没有败落，我们徐家有一百多亩地，从这里一直到那边工厂的烟囱，都是我家的。我爹和我，是远近闻名的阔老爷和阔少爷，我们走路时鞋子的声响，都像是铜钱碰来撞去的。我女人家珍，是城里米行老板的女儿，她也是有钱人家出身。有钱人嫁给有钱人，就是把钱堆起来，钱在钱上面哗哗地流，这样的声音我有四十年没有听到了。

我是我们徐家的败家子，用我爹的话说，我是他的孽子。

我念过几年私塾，穿长衫的私塾先生叫我念一段书时，是我最高兴的。我站起来，拿着本线装的《千字文》，对私塾先生说：

"好好听着，爹给你念一段。"

年过花甲的私塾先生对我爹说：

"你家少爷长大了准能当个二流子。"

我从小就不可救药，这是我爹的话。私塾先生说我是朽木不可雕也。现在想想他们都说对了，当初我可不这么想，我想我有钱啊，我是徐家仅有的一根香火，我要是灭了，徐家就得断子绝孙。

上私塾时我从来不走路，都是我家一个雇工背着我去，放学时他已经恭恭敬敬地弯腰蹲在那里了，我骑上去后拍拍雇工的脑袋，说一声：

"长根，跑呀。"

雇工长根就跑起来，我在上面一颠一颠的，像是一只在树梢上的麻雀。我说一声：

"飞呀。"

长根就一步一跳，做出一副飞的样子。

我长大以后喜欢往城里跑，常常是十天半月不回家。我穿着白色的丝绸衣衫，头发抹得光滑透亮，往镜子前一站，我看到自己满脑袋的黑油漆，一副有钱人的样子。

我爱往妓院钻，听那些风骚的女人整夜叽叽喳喳和哼哼哈哈，那些声音听上去像是在给我挠痒痒。做人哪，一旦嫖上以后，也就免不了要去赌。这个嫖和赌，就像是胳膊和肩膀连在一起，怎么都分不开。后来我更喜欢赌博了，嫖妓只是为了轻松一下，就跟水喝多了要去方便一下一样，说白了就是撒尿。赌博就完全不一样了，我是又痛快又紧张，特别是那个紧张，有一股叫我说不出来的舒坦。以前我是做一天和尚撞一天钟，整天有气无力，每天早晨醒来犯愁的就是这一天该怎么打发。我爹常常唉声叹气，训斥我没有光耀祖宗。我心想光耀祖宗也不是非我莫属，我对自己说："凭什么让我放着好端端的日子不过，去想光耀祖宗这些累人的事。再说我爹年轻时也和我一样，我家祖上有两百多亩地，到他手上一折腾就剩一百多亩了。"我对爹说：

"你别犯愁啦，我儿子会光耀祖宗的。"

总该给下一辈留点好事吧。我娘听了这话哧哧笑，她偷偷告诉我：我爹年轻时也这么对我爷爷说过。我心想就是嘛，他自己干不了的事硬要我来干，我怎么会答应。那时候我儿子有庆还没出来，我女儿凤霞刚好四岁。家珍怀着有庆有六个月了，自然有些难看，走路时裤裆里像是夹了个馒头似的一撇一撇，两只脚不往前往横里跨，我嫌弃她，对她说：

"你呀，风一吹肚子就要大上一圈。"

家珍从不顶撞我，听了这糟蹋她的话，她心里不乐意也只是轻轻说一句：

"又不是风吹大的。"

自从我赌博上以后，我倒还真想光耀祖宗了，想把我爹弄掉的一百多亩地挣回来。那些日子爹问我在城里鬼混些什么，我对他说：

"现在不鬼混啦，我在做生意。"

他问："做什么生意？"

他一听就火了，他年轻时也这么回答过我爷爷。他知道我是在赌博，脱下布鞋就朝我打来，我左躲右藏，心想他打几下就该完了吧。可我这个平常只有咳嗽才有力气的爹，竟然越打越凶了。我又不是一只苍蝇，让他这么拍来拍去。我一把捏住他的手，说道：

"爹，你他娘的算了吧。老子看在你把我弄出来的分上让让你，你他娘的就算了吧。"

我捏住爹的右手，他又用左手脱下右脚的布鞋，还想打我。我又捏住他的左手，这样他就动弹不得了，他气得哆嗦了半晌，才喊出一声：

"孽子。"

我说："去你娘的。"

双手一推，他就跌坐到墙角里去了。

我年轻时吃喝嫖赌，什么浪荡的事都干过。我常去的那家妓院是单名，叫青楼。里面有个胖胖的妓女很招我喜爱，她走路时两片大屁股就像挂在楼前的两只灯笼，晃来晃去。她躺到床上一动一动时，压在上面的我就像睡在船上，在河水里摇呀摇呀。我经常让她背着我去逛街，我骑在她身上像是骑在一匹马上。

我的丈人，米行的陈老板，穿着黑色的绸衫站在柜台后面。我每次从那里经过时，都要揪住妓女的头发，让她停下，脱帽向丈人致礼：

"近来无恙？"

我丈人当时的脸就和松花蛋一样，我呢，嘻嘻笑着过去了。后来我爹说我丈人几次都让我气病了，我对爹说：

"别哄我啦，你是我爹都没气成病。他自己生病凭什么往我身上推？"

他怕我，我倒是知道的。我骑在妓女身上经过他的店门时，我丈人身手极快，像只耗子忽的一下蹿到里屋去了。他不敢见我，可当女婿的路过丈人店门总该有个礼吧。我就大声嚷嚷着向逃窜的丈人请安。

最风光的那次是小日本投降后，国军准备进城收复失地。

那天可真是热闹，城里街道两旁站满了人，手里拿着小彩旗，商店都斜着插出来青天白日旗，我丈人米行前还挂了一幅两扇门板那么大的蒋介石像，米行的三个伙计都站在蒋介石左边的口袋下。

那天我在青楼里赌了一夜，脑袋昏昏沉沉像是肩膀上扛了一袋米，我想着自己有半个来月没回家了，身上的衣服一股酸臭味，我就把那个胖大妓女从床上拖起来，让她背着我回家，叫了抬轿子的跟在后面，我到了家好让她坐轿子回青楼。

那妓女嘟嘟哝哝背着我往城门走，说什么雷公不打睡觉人，才睡下就被我叫醒，说我心肠黑。我把一块银元往她胸口灌进去，就把她的嘴堵上了。走近了城门，一看到两旁站了那么多人，我的精神一下子上来了。

我丈人是城里商会的会长，我很远就看到他站在街道中央喊：

"都站好了，都站好了，等国军一到，大家都要拍手，都要喊。"

有人看到了我，就嘻嘻笑着喊：

"来啦，来啦。"

我丈人还以为是国军来了，赶紧闪到一旁。我两条腿像是夹马似的夹了夹妓女，对她说：

"跑呀，跑呀。"

在两旁人群的哄笑里，妓女呼哧呼哧背着我小跑起来，嘴里骂道：

"夜里压我，白天骑我，黑心肠的，你是逼我往死里跑。"

我咧着嘴频频向两旁哄笑的人点头致礼，来到丈人近前，我一把扯住妓女的头发：

"站住，站住。"

妓女哎哟叫了一声站住脚。我大声对丈人说：

"岳父大人，女婿给你请个早安。"

那次我实实在在地把我丈人的脸丢尽了，我丈人当时傻站在那里，嘴唇一个劲地哆嗦，半晌才沙哑地说一声：

"祖宗，你快走吧。"

那声音听上去都不像是他的了。

我女人家珍当然知道我在城里这些花花绿绿的事，家珍是个好女人，我这辈子能娶上这么一个贤惠的女人，是我前世做狗吠叫了一辈子换来的。家珍对我从来都是逆来顺受，我在外面胡闹，她只是在心里打鼓，从不说我什么，和我娘一样。

我在城里闹腾得实在有些过分，家珍心里当然有一团乱麻，乱糟糟的不能安分。有一天我从城里回到家中，刚刚坐下，家珍就笑盈盈地端出四样菜，摆在我面前，又给我斟满了酒，自己在我身旁坐下来伺候我吃喝。她笑盈盈的样子让我觉得奇怪，不知道她遇上了什么好事，我左思右想也想不出这天是什么日子。我问她，她不说，就是笑盈盈地看着我。

那四样菜都是蔬菜，家珍做得各不相同，可吃到下面都是一块差不多大小的猪肉。起先我没怎么在意，吃到最后一碗菜，底下又是一块猪肉。我一愣，随后我就嘿嘿笑了起来。我明白了家珍的意思，她是在开导我：女人看上去各不相同，到下面都是一样的。我对家珍说：

"这道理我也知道。"

道理我也知道，看到上面长得不一样的女人，我心里想的就是不一样，这实在是没办法的事。

家珍就是这样一个女人，心里对我不满，脸上不让我看出来，弄些拐弯抹角的点子来敲打我。我偏偏是软硬不吃，我爹的布鞋和家珍的菜都管不住我的腿，我就是爱往城里跑，爱往妓院钻。还是我娘知道我们男人心里想什么，她对家珍说：

"男人都是馋嘴的猫。"

我娘说这话不只是为我开脱，还揭了我爹的老底。我爹坐在椅子里，一听这话眼睛就眯成了两条门缝，嘿嘿笑了一下。我爹年轻时也不检点，他是老了干不动了才老实起来。

我赌博时也在青楼，常玩的是麻将、牌九和骰子。我每赌必输，越输我越想把我爹年轻时输掉的一百多亩地赢回来。刚开始输了我当场给钱，没钱就去偷我娘和家珍的首饰，连我女儿凤霞的金项圈也偷了去。后来我干脆赊账，债主们都知道我的家境，让我赊账。自从赊账以后，我就不知道自己输了有多少，债主也不提醒我，暗地里天天都在算计着我家那一百多亩地。

一直到解放以后，我才知道赌博的赢家都是做了手脚的，难怪我老输不赢，他们是挖了个坑让我往里面跳。那时候青楼里有一位沈先生，年纪都快到六十岁了，眼睛还和猫眼似的贼亮，穿着蓝布长衫，腰板挺得笔直，平常时候总是坐在角落里，闭着眼睛像是在打盹。等到牌桌上的赌注越下越大，沈先生才咳嗽几声，慢悠悠地走过来，选一位置站着看，看了一会便有人站起来让位：

"沈先生，这里坐。"

沈先生撩起长衫坐下，对另三位赌徒说：

"请。"

青楼里的人从没见到沈先生输过，他那双青筋突暴的手洗牌时，只听到哗哗的风声，那副牌在他手中忽长忽短，刷刷地进进出出，看得我眼睛都酸了。

有一次沈先生喝醉了酒，对我说：

"赌博全靠一双眼睛一双手，眼睛要练成爪子一样，手要练成泥鳅那样滑。"

小日本投降那年，龙二来了。龙二说话时南腔北调，光听他的口音，就知道这人不简单，是闯荡过很多地方、见过大世面的人。龙二不穿长衫，一身白绸衣，和他同来的还有两个人，帮他提着两只很大的柳条箱。

那年沈先生和龙二的赌局，实在是精彩，青楼的赌厅里挤满了人，沈先生和他们三个人赌。龙二身后站着一个跑堂的，托着一盘干毛巾，龙二不时取过一块毛巾擦手。他不拿湿毛巾拿干毛巾擦手，我们看了都觉得稀奇。他擦手时那副派头像是刚吃完了饭似的。起先龙二一直输，他看上去还满不在乎，倒是他带来的两个人沉不住气，一个骂骂咧咧，一个唉声叹气。沈先生一直赢，可脸上一点赢的意思都没有，沈先生皱着眉头，像是输了很多似的。他脑袋垂着，眼睛却跟钉子似的钉在龙二那双手上。沈先生年纪大了，半个晚上赌下来，就开始喘粗气，额头上汗水渗了出来，沈先生说：

"一局定胜负吧。"

龙二从盘子里取过最后一块毛巾，擦着手说：

"行啊。"

他们把所有的钱都押在了桌上，钱差不多把桌面占满了，只在中间留个空。每个人发了五张牌，亮出四张后，龙二的两个伙伴立刻泄气了，把牌一推说：

"完啦，又输了。"

龙二赶紧说："没输，你们赢啦。"

说着龙二亮出最后那张牌，是黑桃Ａ，他的两个伙伴一看立刻嘿嘿笑了。其实沈先生最后那张牌也是黑桃Ａ，他是三Ａ带两Ｋ，龙二一个伙伴是三Ｑ带两Ｊ。龙二抢先亮出了黑桃Ａ，沈先生怔了半晌，才把手中的牌一收说：

"我输了。"

龙二的黑桃A和沈先生的都是从袖管里换出来的，一副牌不能有两张黑桃A，龙二抢了先，沈先生心里明白也只能认输。那是我们第一次看到沈先生输，沈先生手推桌子站起来，向龙二他们作了个揖，转过身来往外走，走到门口微笑着说：

"我老了。"

后来再没人见过沈先生，听说那天天刚亮，他就坐着轿子走了。

沈先生一走，龙二成了这里的赌博师傅。龙二和沈先生不一样，沈先生是只赢不输，龙二是赌注小常输，赌注大就没见他输过了。我在青楼常和龙二他们赌，有输有赢，所以我总觉得自己没怎么输，其实我赢的都是小钱，输掉的倒是大钱，我还蒙在鼓里，以为自己马上就要光耀祖宗了。

我最后一次赌博时，家珍来了，那时候天都快黑了，这是家珍后来告诉我的，我当时根本不知道天是亮着还是要黑了。家珍挺了个大肚子找到青楼来了，我儿子有庆在他娘肚子里长到七八个月了。家珍找到了我，一声不吭地跪在我面前，起先我没看到她，那天我手气特别好，掷出的骰子十有八九是我要的点数，坐在对面的龙二一看点数嘿嘿一笑说：

"兄弟我又栽了。"

龙二摸牌把沈先生赢了之后，青楼里没人敢和他摸牌了，我也不敢，我和龙二赌都是用骰子，就是骰子龙二玩得也很地道，他常赢少输，可那天他栽到我手里了，接连地输给我。他嘴里叼着烟卷，眼睛眯缝着像是什么事都没有，每次输了都还嘿嘿一笑，两条瘦胳膊把钱推过来时却是一百个不愿意。我想龙二你也该惨一次了。人都是一样的，手伸进别人口袋里掏钱时那个眉开眼笑，轮到自己给钱了一个个都跟哭丧一样。我正高兴着，有人扯了扯我的衣服，低头一看是自己的女人。看到家珍跪着我就火了，心想我儿子还没出来就跪着了，这太不吉利。我就对家珍说：

"起来，起来，你他娘的给我起来。"

家珍还真听话，立刻站了起来。我说：

"你来干什么？还不快给我回去。"

说完我就不管她了，看着龙二将骰子捧在手心里跟拜佛似的摇了几下，他一掷出脸色就难看了，说道：

"摸过女人屁股就是手气不好。"

我一看自己又赢了，就说：

"龙二，你去洗洗手吧。"

龙二嘿嘿一笑，说道：

"你把嘴巴子抹干净了再说话。"

家珍又扯了扯我的衣服，我一看，她又跪到地上。家珍细声细气地说：

"你跟我回去。"

要我跟一个女人回去？家珍这不是存心出我的丑？我的怒气

一下子上来了，我看看龙二他们，他们都笑着看我，我对家珍吼道：

"你给我滚回去。"

家珍还是说："你跟我回去。"

我给了她两巴掌，家珍的脑袋像是拨浪鼓那样摇晃了几下。挨了我的打，她还是跪在那里，说：

"你不回去，我就不站起来。"

现在想起来叫我心疼啊，我年轻时真是个乌龟王八蛋。这么好的女人，我对她又打又踢。我怎么打她，她就是跪着不起来，打到最后连我自己都觉得没趣了，家珍头发披散眼泪汪汪地捂着脸。我就从赢来的钱里抓出一把，给了旁边站着的两个人，让他们把家珍拖出去，我对他们说：

"拖得越远越好。"

家珍被拖出去时，双手紧紧捂着凸起的肚子，那里面有我的儿子啊，家珍没喊没叫，被拖到了大街上，那两个人扔开她后，她就扶着墙壁站起来，那时候天完全黑了，她一个人慢慢往回走。后来我问她，她那时是不是恨死我了，她摇摇头说：

"没有。"

我的女人抹着眼泪走到她爹米行门口，站了很长时间，她看到她爹的脑袋被煤油灯的亮光映在墙上，她知道他是在清点账目。她站在那里呜呜哭了一会，就走开了。

家珍那天晚上走了十多里夜路回到了我家。她一个孤身女人，又怀着七个多月的有庆，一路上到处都是狗吠，下过一场大雨的路又坑坑洼洼。

早上几年的时候，家珍还是一个女学生。那时候城里有夜校了，家珍穿着月白色的旗袍，提着一盏小煤油灯，和几个女伴去上学。我是在拐弯处看到她，她一扭一扭地走过来，高跟鞋敲在石板路上，滴滴答答像是在下雨，我眼睛都看得不会动了，家珍那时候长得可真漂亮，头发齐齐地挂到耳根，走去时旗袍在腰上一皱一皱，我当时就在心里想，我要她做我的女人。

家珍她们嘻嘻说着话走过去后，我问一个坐在地上的鞋匠：

"那是谁家的女儿？"

鞋匠说："是陈记米行的千金。"

我回家后马上对我娘说：

"快去找个媒人，我要把城里米行陈老板的女儿娶过来。"

家珍那天晚上被拖走后，我就开始倒霉了，连着输了好几把，眼看着桌上小山坡一样堆起的钱，像洗脚水似的倒了出去。龙二嘿嘿笑个不停，那张脸都快笑烂了。那次我一直赌到天亮，赌得我头晕眼花，胃里直往嘴上冒臭气。最后一把我押上了平生最大的赌注，用唾沫洗洗手，心想千秋功业全在此一掷了。我正要去抓骰子，龙二伸手挡了挡说：

"慢着。"

龙二向一个跑堂挥挥手说：

"给徐家少爷拿块热毛巾来。"那时候旁边看赌的人全回去睡觉了,只剩下我们几个赌的,另两个人是龙二带来的。我是后来才知道龙二买通了那个跑堂,那跑堂将热毛巾递给我,我拿着擦脸时,龙二偷偷换了一副骰子,换上来的那副骰子龙二做了手脚。我一点都没察觉,擦完脸我把毛巾往盘子里一扔,拿起骰子拼命摇了三下,掷出去一看,还好,点数还挺大的。

轮到龙二时,龙二将那副骰子放在七点上,这小子伸出手掌使劲一拍,喊了一声:

"七点。"

那副骰子里面挖空了灌了水银,龙二这么一拍,水银往下沉,抓起一掷,一头重了滚几下就会停在七点上。

我一看那副骰子果然是七点,脑袋嗡的一下,这次输惨了。继而一想反正可以赊账,日后总有机会赢回来,便宽了宽心,站起来对龙二说:

"先记上吧。"

龙二摆摆手让我坐下,他说:

"不能再让你赊账了,你把你家一百多亩地全输光了。再赊账,你拿什么来还?"

我听后一个哈欠没打完猛地收回,连声说:

"不会,不会。"

龙二和另两个债主就拿出账簿,一五一十给我算起来,龙二拍拍我凑过去的脑袋，对我说：

"少爷，看清楚了吗？这可都是你签字画押的。"

我才知道半年前就欠上他们了，半年下来我把祖辈留下的家产全输光了。算到一半，我对龙二说：

"别算了。"

我重新站起来，像只瘟鸡似的走出了青楼，那时候天完全亮了，我就站在街上，都不知道该往哪里走。有一个提着一篮豆腐的熟人看到我后响亮地喊了一声：

"早啊，徐家少爷。"

他的喊声吓了我一跳，我呆呆地看着他。他笑眯眯地说：

"瞧你这样子，都成药渣了。"

他还以为我是被那些女人给折腾的，他不知道我破产了，我和一个雇工一样穷了。我苦笑着看他走远，心想还是别在这里站着，就走动起来。

我走到丈人米行那边时，两个伙计正在卸门板，他们看到我后嘻嘻笑了一下，以为我又会过去向我丈人大声请安，我哪还有这个胆量？我把脑袋缩了缩，贴着另一端的房屋赶紧走了过去。我听到老丈人在里面咳嗽，接着呸的一声一口痰吐在了地上。

我就这样迷迷糊糊地走到了城外，有一阵子我竟忘了自己输光家产这事，脑袋里空空荡荡，像是被捅过的马蜂窝。到了城外，看到那条斜着伸过去的小路，我又害怕了，我想接下去该怎么办呢？我在那条路上走了几步，走不动了，看看四周都看不到人影，我想拿根裤带吊死算啦。这么想着我又走动起来，走过了一棵榆树，我只是看一眼，根本就没打算去解裤带。其实我不想死，只是找个法子与自己赌气。我想着那一屁股债又不会和我一起吊死，就对自己说：

"算啦，别死啦。"

这债是要我爹去还了。一想到爹，我心里一阵发麻，这下他还不把我给揍死？我边走边想，怎么想都是死路一条了，还是回家去吧。被我爹揍死，总比在外面像野狗一样吊死强。

就那么一会工夫，我瘦了整整一圈，眼都青了，自己还不知道，回到了家里，我娘一看到我就惊叫起来，她看着我的脸问：

"你是福贵吧？"

我看着娘的脸苦笑地点点头，我听到娘一惊一乍地说着什么，我不再看她，推门走到了自己屋里，正在梳头的家珍看到我也吃了一惊，她张嘴看着我。一想到她昨晚来劝我回家，我却对她又打又踢，我就扑通一声跪在她面前，对她说：

"家珍，我完蛋啦。"

说完我就呜呜地哭了起来，家珍慌忙来扶我，她怀着有庆哪能把我扶起来？她就叫我娘。两个女人一起把我抬到床上，我躺到床上就口吐白沫，一副要死的样子，可把她们吓坏了，又是捶肩又是摇我的脑袋，我伸手把她们推开，对她们说：

"我把家产输光啦。"

我娘听了这话先是一愣，她使劲看看我后说：

"你说什么？"

我说："我把家产输光啦。"

我那副模样让她信了，我娘一屁股坐到了地上，抹着眼泪说：

"上梁不正下梁歪啊。"

我娘到那时还在心疼我，她没怪我，倒是去怪我爹。

家珍也哭了，她一边替我捶背一边说：

"只要你以后不赌就好了。"

我输了个精光，以后就是想赌也没本钱了。我听到爹在那边屋子里骂骂咧咧，他还不知道自己是穷光蛋了，他嫌两个女人的哭声吵他。听到我爹的声音，我娘就不哭了，她站起来走出去，家珍也跟了出去。我知道她们到我爹屋子里去了，不一会我就听到爹在那边喊叫起来：

"孽子。"

这时我女儿凤霞推门进来，又摇摇晃晃地把门关上。凤霞尖声细气地对我说：

"爹，你快躲起来，爷爷要来揍你了。"

我一动不动地看着她，凤霞就过来拉我的手，拉不动我她就哭了。看着凤霞哭，我心里就跟刀割一样。凤霞这么小的年纪就知道护着她爹，就是看着这孩子，我也该千刀万剐。

我听到爹气冲冲地走来了，他喊着：

"孽子，我要剐了你，阉了你，剁烂了你这乌龟王八蛋。"

我想爹你就进来吧，你就把我剁烂了吧。可我爹走到门口，身体一晃就摔到地上气昏过去了。我娘和家珍叫叫嚷嚷地把他扶起来，扶到他自己的床上。过了一会，我听到爹在那边像是吹唢呐般地哭上了。

我爹在床上一躺就是三天，第一天他呜呜地哭，后来他不哭了，开始叹息，一声声传到我这里，我听到他唉声说着：

"报应啊，这是报应。"

第三天，我爹在自己屋里接待客人，他响亮地咳嗽着，一旦说话时声音又低得听不到。到了晚上的时候，我娘走过来对我说，爹叫我过去。我从床上起来，心想这下非完蛋不可，我爹在床上歇了三天，他有力气来宰我了，起码也把我揍个半死不活。我对自己说，任凭爹怎么揍我，我也不要还手。我向爹的房间走去时一点力气都没有，身体软绵绵，两条腿像是假的。我进了他的房间，站在我娘身后，偷偷看着他躺在床上的模样，他睁圆了眼睛看着我，白胡须一抖一抖，他对我娘说：

"你出去吧。"

我娘从我身旁走了出去，她一走我心里是一阵发虚，说不定他马上就会从床上蹦起来和我拼命。他躺着没有动，胸前的被子都滑出去挂在地上了。

"福贵啊。"

爹叫了我一声，他拍拍床沿说：

"你坐下。"

我心里咚咚跳着在他身旁坐下来，他摸到了我的手，他的手和冰一样，一直冷到我心里。爹轻声说：

"福贵啊，赌债也是债，自古以来没有不还债的道理。我把一百多亩地，还有这房子都抵押出去了，明天他们就会送铜钱来。我老了，挑不动担子了，你就自己挑着钱去还债吧。"

爹说完后又长叹一声。听完他的话，我眼睛里酸溜溜的，我知道他不会和我拼命了，可他说的话就像是一把钝刀子在割我的脖子，脑袋掉不下来，倒是疼得死去活来。爹拍拍我的手说：

"你去睡吧。"

第二天一早，我刚起床就看到四个人进了我家院子，走在头里的是个穿绸衣的有钱人，他朝身后穿粗布衣服的三个挑夫摆摆手说：

"放下吧。"

三个挑夫放下担子撩起衣角擦脸时，那有钱人看着我喊的却是我爹：

"徐老爷，你要的货来了。"

我爹拿着地契和房契连连咳嗽着走出来，他把房地契递过去，向那人哈哈腰说：

"辛苦啦。"

那人指着三担铜钱，对我爹说：

"都在这里了，你数数吧。"

我爹全没有了有钱人的派头，他像个穷人一样恭敬地说：

"不用，不用，进屋喝口茶吧。"

那人说："不必了。"

说完，他看看我，问我爹：

"这位是少爷吧？"

我爹连连点头。他朝我嘻嘻一笑，说道：

"送货时采些南瓜叶子盖在上面，可别让人抢了。"

这天开始，我就挑着铜钱走十多里路进城去还债。铜钱上盖着的南瓜叶是我娘和家珍去采的，凤霞看到了也去采，她挑最大的采了两张，盖在担子上，我把担子挑起来准备走，凤霞不知道我是去还债，仰着脸问：

"爹，你是不是又要好几天不回家了？"

我听了这话鼻子一酸，差点掉出眼泪来，挑着担子赶紧往城里走。到了城里，龙二看到我挑着担子来了，亲热地喊一声：

"来啦，徐家少爷。"

我把担子放在他跟前，他揭开瓜叶时皱皱眉，对我说：

"你这不是自找苦吃，换些银元多省事。"

我把最后一担铜钱挑去后，他就不再叫我少爷，他点点头说：

"福贵，就放这里吧。"

倒是另一个债主亲热些，他拍拍我的肩说：

"福贵，去喝一壶。"

龙二听后忙说："对，对，喝一壶，我来请客。"

我摇摇头，心想还是回家吧。一天下来，我的绸衣磨破了，肩上的皮肉渗出了血。我一个人往家里走去，走走哭哭，哭哭走走。想想自己才挑了一天的钱就累得人都要散架了，祖辈挣下这些钱不知要累死多少人。到这时我才知道爹为什么不要银元偏要铜钱，他就是要我知道这个道理，要我知道钱来得千难万难。这么一想，我都走不动路了，在道旁蹲下来哭得腰里直抽搐。那时我家的老雇工，就是小时候背我去私塾的长根，背着个破包裹走过来。他在我家干了几十年，现在也要离开了。他很小就死了爹娘，是我爷爷带回家来的，以后也一直没娶女人。他和我一样眼泪汪汪，赤着皮肉裂开的脚走过来，看到我蹲在路边，他叫了一声：

"少爷。"

我对他喊："别叫我少爷，叫我畜生。"

他摇摇头说："要饭的皇帝也是皇帝，你没钱了也还是少爷。"

一听这话我刚擦干净脸眼泪又下来了，他也在我身旁蹲下来，捂着脸呜呜地哭上了。我们在一起哭了一阵后，我对他说：

"天快黑了，长根你回家去吧。"

长根站了起来，一步一步地走开去，我听到他嗡嗡地说：

"我哪儿还有什么家呀。"

我把长根也害了，看着他孤身一人走去，我心里是一阵一阵地酸痛。直到长根走远看不见了，我才站起来往家走，我到家的时候天已经黑了。家里原先的雇工和女佣都已经走了，我娘和家珍在灶间一个烧火一个做饭，我爹还在床上躺着，只有凤霞还和往常一样高兴，她还不知道从此以后就要受苦受穷了。她蹦蹦跳跳走过来，扑到我腿上问我：

"为什么他们说我不是小姐了？"

我摸摸她的小脸蛋，一句话也说不出来，好在她没再往下问，她用指甲刮起了我裤子上的泥巴，高兴地说：

"我在给你洗裤子呢。"

到了吃饭的时候，我娘走到爹的房门口问他：

"给你把饭端进来吧？"

我爹说："我出来吃。"

我爹三根指头执着一盏煤油灯从房里出来，灯光在他脸上一闪一闪，那张脸半明半暗，他弓着背咳嗽连连。爹坐下后问我：

"债还清了？"

我低着头说："还清了。"

我爹说："这就好，这就好。"

他看到了我的肩膀，又说：

"肩膀也磨破了。"

我没有做声，偷偷看看我娘和家珍，她们两个都泪汪汪地看着我的肩膀。爹慢吞吞地吃起了饭，才吃了几口就将筷子往桌上一放，把碗一推，他不吃了。过一会，爹说道：

"从前，我们徐家的老祖宗不过是养了一只小鸡，鸡养大后变成了鹅，鹅养大了变成了羊，再把羊养大，羊就变成了牛。我们徐家就是这样发起来的。"

爹的声音哑哑的，他顿了顿又说：

"到了我手里，徐家的牛变成了羊，羊又变成了鹅。传到你这里，鹅变成了鸡，现在是连鸡也没啦。"

爹说到这里嘿嘿笑了起来，笑着笑着就哭了。他向我伸出两根指头：

"徐家出了两个败家子啊。"

没出两天，龙二来了。龙二的模样变了，他嘴里镶了两颗金牙，咧着大嘴巴嘻嘻笑着。他买去了我们抵押出去的房产和地产，他是来看看自己的财产。龙二用脚踢踢墙基，又将耳朵贴在墙上，伸出巴掌拍拍，连声说：

"结实，结实。"

龙二又到田里去转了一圈，回来后向我和爹作揖说道：

"看着那绿油油的地，心里就是踏实。"

龙二一到，我们就要从几代居住的屋子里搬出去，搬到茅屋里去住。搬走那天，我爹双手背在身后，在几个房间踱来踱去，末了对我娘说：

"我还以为会死在这屋子里。"

说完，我爹拍拍绸衣上的尘土，伸了伸脖子跨出门槛。我爹像往常那样，双手背在身后慢悠悠地向村口的粪缸走去。那时候天正在黑下来，有几个佃户还在地里干着活，他们都知道我爹不是主人了，还是握住锄头叫了一声：

"老爷。"

我爹轻轻一笑，向他们摆摆手说：

"不要这样叫。"

我爹已不是走在自己的地产上了，两条腿哆嗦着走到村口，在粪缸前站住脚，四下里望了望，然后解开裤带，蹲了上去。

那天傍晚我爹拉屎时不再叫唤，他眯缝着眼睛往远处看，看着那条向城里去的小路慢慢变得不清楚。一个佃户在近旁俯身割菜，他直起腰后，我爹就看不到那条小路了。

我爹从粪缸上摔了下来，那佃户听到声音急忙转过身来，看到我爹斜躺在地上，脑袋靠着粪缸一动不动。佃户提着镰刀跑到我爹跟前，问他：

"老爷你没事吧？"

我爹动了动眼皮，看着佃户嘶哑地问：

"你是谁家的？"

佃户俯下身去说：

"老爷，我是王喜。"

我爹想了想后说：

"噢，是王喜。王喜，下面有块石头，硌得我难受。"

王喜将我爹的身体翻了翻，摸出一块拳头大的石头扔到一旁。我爹重又斜躺在那里，轻声说：

"这下舒服了。"

王喜问："我扶你起来？"

我爹摇摇头，喘息着说：

"不用了。"

随后我爹问他：

"你先前看到过我掉下来没有？"

王喜摇摇头说：

"没有，老爷。"

我爹像是有些高兴，又问：

"第一次掉下来？"

王喜说："是的，老爷。"

我爹嘿嘿笑了几下，笑完后闭上了眼睛，脖子一歪，脑袋顺着粪缸滑到了地上。

那天我们刚搬到了茅屋里，我和娘在屋里收拾着，凤霞高高兴兴地也跟着收拾东西，她不知道从此以后就要受苦了。家珍端着一大盆衣服从池塘边走上来，遇到了跑来的王喜，王喜说：

"少奶奶，老爷像是熟了。"

我们在屋里听到家珍在外面使劲喊："娘，福贵，娘……"

没喊几声，家珍就在那里呜呜地哭上了。那时我就想着是爹出事了，我跑出屋看到家珍站在那里，一大盆衣服全掉在地上。家珍看到我叫着：

"福贵，是爹……"

我脑袋嗡的一下，拼命往村口跑，跑到粪缸前时我爹已经断气了，我又推又喊，我爹就是不理我，我不知道该怎么办，站起来往回看，看到我娘扭着小脚又哭又喊地跑来，家珍抱着凤霞跟在后面。

我爹死后，我像是染上了瘟疫一样浑身无力，整日坐在茅屋前的地上，一会眼泪汪汪，一会唉声叹气。凤霞时常陪我坐在一起，她玩着我的手问我：

"爷爷掉下来了？"

看到我点点头，她又问：

"是风吹的吗？"

我娘和家珍都不敢怎么大声哭，她们怕我想不开，也跟着爹一起去了。有时我不小心碰着什么，她们两人就会吓一跳，看到我没像爹那样摔倒在地，她们才放心地问我：

"没事吧？"

那几天我娘常对我说：

"人只要活得高兴，穷也不怕。"

她是在宽慰我，她还以为我是被穷折腾成这样的，其实我心里想着的是我死去的爹。我爹死在我手里了，我娘我家珍，还有凤霞却要跟着我受活罪。

我爹死后十天，我丈人来了，他右手提着长衫脸色铁青地走进了村里，后面是一抬披红戴绿的花轿，十来个年轻人敲锣打鼓拥在两旁。村里人见了都挤上去看，以为是谁家娶亲嫁女，都说怎么先前没听说过，有一个人问我丈人：

"是谁家的喜事？"

我丈人板着脸大声说：

"我家的喜事。"

那时我正在我爹坟前，我听到锣鼓声抬起头来，看到我丈人气冲冲地走到我家茅屋前，他朝后面摆摆手，花轿放在了地上，锣鼓息了。当时我就知道他是要接家珍回去，我心里咚咚乱跳，不知道该怎么办。

我娘和家珍听到响声从屋里出来，家珍叫了声：

"爹。"

我丈人看看他女儿，对我娘说：

"那畜生呢？"

我娘赔着笑脸说：

"你是说福贵吧？"

"还会是谁。"

我丈人的脸转了过来，看到了我，他向我走了两步，对我喊：

"畜生，你过来。"

我站着没有动，我哪敢过去。我丈人挥着手向我喊：

"你过来，你这畜生，怎么不来向我请安了？畜生你听着，当初是怎么娶走家珍的，我今日也怎么接她回去。你看看，这是花轿，这是锣鼓，比你当初娶亲时只多不少。"

喊完以后，我丈人回头对家珍说：

"你快进屋去收拾一下。"

家珍站着没动，叫了一声：

"爹。"

我丈人使劲跺了下脚说：

"还不快去。"

家珍看看站在远处地里的我，转身进屋了。我娘这时眼泪汪汪地对他说：

"行行好，让家珍留下吧。"

我丈人朝我娘摆摆手，又转过身来对我喊：

"畜生，从今以后家珍和你一刀两断，我们陈家和你们徐家永不往来。"

我娘的身体弯下去求他：

"求你看在福贵他爹的分上，让家珍留下吧。"

我丈人冲着我娘喊：

"他爹都让他气死啦。"

喊完我丈人自己也觉得有些过分，便缓一下口气说：

"你也别怪我心狠，都是那畜生胡来才会有今天。"

说完丈人又转向我，喊道：

"凤霞就留给你们徐家，家珍肚里的孩子就是我们陈家的人啦。"

我娘站在一旁呜呜地哭，她抹着眼泪说：

"这让我怎么去向徐家祖宗交代？"

家珍提了个包裹走了出来。我丈人对她说：

"上轿。"

家珍扭头看看我，走到轿子旁又回头看了看我，再看看我娘，钻进了轿子。这时凤霞不知从哪里跑了出来，一看到她娘坐上轿子了，她也想坐进去，她半个身体才进轿子，就被家珍的手推了出来。

我丈人向轿夫挥了挥手，轿子被抬了起来，家珍在里面大声哭起来，我丈人喊道："给我往响里敲。"

十来个年轻人拼命地敲响了锣鼓，我就听不到家珍的哭声了。轿子上了路，我丈人手提长衫和轿子走得一样快。我娘扭着小脚，可怜巴巴地跟在后面，一直跟到村口才站住。

这时凤霞跑了过来，她睁大眼睛对我说：

"爹，娘坐上轿子啦。"

凤霞高兴的样子叫我看了难受，我对她说：

"凤霞，你过来。"

凤霞走到我身边，我摸着她的脸说：

"凤霞，你可不要忘记我是你爹。"

凤霞听了这话咯咯笑起来，她说：

"你也不要忘记我是凤霞。"

福贵说到这里看着我嘿嘿笑了，这位四十年前的浪子，如今赤裸着胸膛坐在青草上，阳光从树叶的缝隙里照射下来，照在他眯缝的眼睛上。他腿上沾满了泥巴，刮光了的脑袋上稀稀疏疏地钻出来些许白发，胸前的皮肤皱成一条一条，汗水在那里起伏着流下来。此刻那头老牛蹲在池塘泛黄的水中，只露出脑袋和一条长长的脊梁，我看到池水犹如拍岸一样拍击着那条黝黑的脊梁。

这位老人是我最初遇到的，那时候我刚刚开始那段漫游的生活，我年轻无忧无虑，每一张新的脸都会使我兴致勃勃，一切我所不知的事物都会深深吸引我。就是在这样的时刻，我遇到了福贵，他绘声绘色地讲述自己，从来没有过一个人像他那样对我和盘托出，只要我想知道的，他都愿意展示。

和福贵相遇，使我对以后收集民谣的日子充满快乐的期待，我以为那块肥沃茂盛的土地上福贵这样的人比比皆是。在后来的日子里，我确实遇到了许多像福贵那样的老人，他们穿着和福贵一样的衣裤，裤裆都快耷拉到膝盖了。他们脸上的皱纹里积满了阳光和泥土，他们向我微笑时，我看到空洞的嘴里牙齿所剩无几。他们时常流出混浊的眼泪，这倒不是因为他们时常悲伤，他们在高兴时甚至是在什么事都没有的平静时刻，也会泪流而出，然后举起和乡间泥路一样粗糙的手指，擦去眼泪，如同掸去身上的稻草。

可是我再也没遇到一个像福贵这样令我难忘的人了，对自己的经历如此清楚，又能如此精彩地讲述自己。他是那种能够看到自己过去模样的人，他可以准确地看到自己年轻时走路的姿态，甚至可以看到自己是如何衰老的。这样的老人在乡间实在难以遇上，也许是困苦的生活损坏了他们的记忆，面对往事他们通常显得木讷，常常以不知所措的微笑搪塞过去。他们对自己的经历缺乏热情，仿佛是道听途说般的只记得零星几点，即便是这零星几点也都是自身之外的记忆，用一两句话表达了他们所认为的一切。在这里，我常常听到后辈们这样骂他们：

"一大把年纪全活到狗身上去了。"

福贵就完全不一样了，他喜欢回想过去，喜欢讲述自己，似乎这样一来，他就可以一次一次地重度此生了。他的讲述像鸟爪抓住树枝那样紧紧抓住我。

家珍走后，我娘时常坐在一边偷偷抹眼泪。我本想找几句话去宽慰宽慰她，一看到她那副样子，就什么话也说不出来了。倒是她常对我说：

"家珍是你的女人，不是别人的，谁也抢不走。"

我听了这话，只能在心里叹息一声，我还能说什么呢？好端端的一个家成了砸破了的瓦罐似的四分五裂。到了晚上，我躺在床上常常睡不着，一会恨这个，一会恨那个，到头来最恨的还是我自己。夜里想得太多，白天就头疼，整日无精打采，好在有凤霞，凤霞常拉着我的手问我：

"爹，一张桌子有四个角，削掉一个角还剩几个角？"

也不知道凤霞是从哪里听来的，当我说还剩三个角时，凤霞高兴得咯咯乱笑，她说：

"错啦，还剩五个角。"

听了凤霞的话，我想笑却笑不出来，想到原先家里四个人，家珍一走就等于是削掉了一个角，况且家珍肚里还怀着孩子，我就对凤霞说：

"等你娘回来了，就会有五个角了。"

家里值钱的东西都变卖光了以后，我娘就常常领着凤霞去挖野菜，我娘挎着篮子小脚一扭一扭地走去，她走得还没有凤霞快。她头发都白了，却要学着去干从没干过的体力活。看着我娘拉着凤霞看一步走一步，那小心的样子让我眼泪都快掉出来了。

　　我想想再不能像从前那样过日子了，我得养活我娘和凤霞。我就和娘商量着到城里亲友那里去借点钱，开个小铺子。我娘听了这话一声不吭，她是舍不得离开这里，人上了年纪都这样，都不愿动地方。我就对娘说：

　　"如今屋子和地都是龙二的了，家安在这里跟安在别处也一样。"

　　我娘听了这话，过了半晌才说：

　　"你爹的坟还在这里。"

　　我娘一句话就让我不敢再想别的主意了，我想来想去只好去找龙二。

　　龙二成了这里的地主，常常穿着丝绸衣衫，右手拿着茶壶在田埂上走来走去，神气得很。镶着两颗大金牙的嘴总是咧开笑着，有时骂看着不顺眼的佃户时也咧着嘴，我起先还以为他对人亲热，慢慢地就知道他是要别人都看到他的金牙。

　　龙二遇到我还算客气，常笑嘻嘻地说：

　　"福贵，到我家来喝壶茶吧。"

　　我一直没去龙二家是怕自己心里发酸，我两脚一落地就住在那幢屋子里了，如今那屋子是龙二的家，你想想我心里是什么滋味。

　　其实人落到那种地步也就顾不上那么多了，我算是应了人穷志短那句古话了。那天我去找龙二时，龙二坐在我家客厅的太师椅子里，两条腿搁在凳子上，一手拿茶壶一手拿着扇子，看到我走进来，龙二咧嘴笑道：

"是福贵，自己找把凳子坐吧。"

他躺在太师椅里动都没动，我也就不指望他泡壶茶给我喝。我坐下后龙二说：

"福贵，你是来找我借钱的吧？"

我还没说不是，他就往下说道：

"按理说我也该借几个钱给你，俗话说是救急不救穷，我啊，只能救你的急，不会救你的穷。"

我点点头说："我想租几亩田。"

龙二听后笑眯眯地问：

"你要租几亩？"

我说："租五亩。"

"五亩？"龙二眉毛往上吊了吊，问，"你这身体能行吗？"

我说："练练就行了。"

他想一想说："我们是老相识了，我给你五亩好田。"

龙二还是讲点交情的，他真给了我五亩好田。我一个人种五亩地，差点没累死。我从没干过农活，学着村里人的样子干活，别说有多慢了。看得见的时候我都在田里，到了天黑，只要有月光，我还要下地。庄稼得赶上季节，错过一个季节就全错过啦。到那时别说是养活一家人，就是龙二的租粮也交不起。俗话说是笨鸟先飞，我还得笨鸟多飞。

我娘心疼我，也跟着我下地干活，她一大把年纪了，脚又不方便，身体弯下去才一会工夫就直不起来了，常常是一屁股坐在了田里。我对她说：

"娘，你赶紧回去吧。"

我娘摇摇头说："四只手总比两只手强。"

我说："你要是累成病，那就一只手都没了，我还得照料你。"

我娘听了这话，才慢慢回到田埂上坐下，和凤霞待在一起。凤霞是天天坐在田埂上陪我，她采了很多花放在腿边，一朵一朵举起来问我叫什么花，我哪知道是什么花，就说：

"问你奶奶去。"

我娘坐到田埂上，看到我用锄头就常喊：

"留神别砍了脚。"

我用镰刀时，她更不放心，时时说：

"福贵，别把手割破了。"

我娘老是在一旁提醒也不管用，活太多，我得快干，一快就免不了砍了脚割破手。手脚一出血，可把我娘心疼坏了，扭着小脚跑过来，捏一块烂泥巴堵住出血的地方，嘴里一个劲儿地数落我，一说得说半晌，我还不能回嘴，要不她眼泪都会掉出来。

我娘常说地里的泥是最养人的，不光是长庄稼，还能治病。那么多年下来，我身上哪儿弄破了，都往上贴一块湿泥巴。我娘说得对，不能小看那些烂泥巴，那可是治百病的。

　　人要是累得整天没力气，就不会去乱想了。租了龙二的田以后，我一挨到床就呼呼地睡去，根本没工夫去想别的什么。说起来日子过得又苦又累，我心里反倒踏实了。我想着我们徐家也算是有一只小鸡了，照我这么干下去，过不了几年小鸡就会变成鹅，徐家总有一天会重新发起来的。

　　从那以后，我是再没穿过绸衣了，我穿的粗布衣服是我娘亲手织的布，刚穿上那阵子觉得不自在，身上的肉被磨来磨去，日子一久也就舒坦了。前几天村里的王喜死了，王喜是我家从前的佃户，比我大两岁，他死前嘱咐儿子把他的旧绸衣送给我，他一直没忘记我从前是少爷，他是想让我死之前穿上绸衣风光风光。我啊，对不起王喜的一片好心，那件绸衣我往身上一穿就赶紧脱了下来，那个难受啊，滑溜溜的像是穿上了鼻涕做的衣服。

　　那么过了三个来月，长根来了，就是我家的雇工。那天我正在地里干活，我娘和凤霞坐在田埂上。长根拄着一根枯树枝，破衣烂衫地走过来，手里挎着个包裹，还拿一只缺了口的碗，他成了个叫花子。是凤霞先看到他的，凤霞站起来叫着他喊：

　　"长根，长根。"

　　我娘一看到是从小在我家长大的长根，赶紧迎了上去。长根抹着眼泪说：

　　"太太，我想少爷和凤霞，就回来看一眼。"

长根走到田间，看到我穿着粗布衣服满身是泥，呜呜地哭，说道：

"少爷，你怎么成这样子了。"

我输光家产以后，最苦的就是长根了。长根替我家干了一辈子，按规矩老了就该由我家养起来。可我家一破落，他也只好离开，只能要饭过日子。

看到长根回来时的模样，我心里一阵发酸，小时候他整天背着我走东逛西，我长大后也从没把他放在眼里。没想到他还回来看我们，我问长根：

"你还好吧？"

长根擦擦眼睛说："还好。"

我问："还没找到雇你的人家？"

长根摇摇头说："我这么老了，谁家会雇我？"

听了这话，我眼泪都要掉出来了。长根却不觉得自己苦，他还为我哭，说道：

"少爷，你哪受得起这种苦。"

那天晚上，长根在我家茅屋里过的。我和娘商量着把长根留在家里，这样一来日子会更苦，我对娘说：

"苦也要把他留下，我们每人剩两口饭也就养活他了。"

我娘点点头说："长根这么好的心肠。"

第二天早晨，我对长根说：

"长根，你一回来就好了，我正缺一个帮手，往后你就住在这里吧。"

长根听后看着我笑，笑着笑着眼泪掉了出来，他说：

"少爷，我没有帮你的力气了，有你这份心意我就够了。"说完长根就要走，我和娘死活拦不住他，他说：

"你们别拦我了，往后我还要来看你们。"

长根那天走后，还来过一次，那次他给凤霞带来一根扎头发的红绸，是他捡来的，洗干净后放在胸口专门来送给凤霞。长根那次走后，我就再没有见到他了。

我租了龙二的田，就是他的佃户了，便不能再像过去那样叫他龙二，得叫他龙老爷。起先龙二听我这么叫，总是摆摆手说：

"福贵，你我之间不必多礼。"

时间一久他也习惯了，我在地里干活时，他常会走过来说几句话。有一次我正割着稻子，凤霞跟在后面捡稻穗，龙二一摇一摆走过来，对我说：

"福贵，我收山啦，往后再也不去赌啦。赌场无赢家，我是见好就收，免得日后也落到你这种地步。"

我向龙二哈哈腰，恭敬地说：

"是，龙老爷。"

龙二指指凤霞，问道：

"这是你的崽子吗？"

我又哈哈腰，说一声：

"是，龙老爷。"

我看到凤霞站在那里，手里拿着稻穗，直愣愣地盯着龙二看，就赶紧对她说：

"凤霞，快向龙老爷行礼。"

凤霞也学我的样子向龙二哈哈腰，说道：

"是，龙老爷。"

我时常惦记着家珍，还有她肚子里的孩子。家珍走后两个多月，托人捎来了一个口信，说是生啦，生了个儿子出来，我丈人给取了个名字叫有庆。我娘悄悄问捎话的人：

"有庆姓什么？"

那人说："姓徐呀。"

那时我在田里，我娘扭着小脚急匆匆地跑来告诉我，她话没说完，就擦起了眼泪。我一听说家珍给我生了个儿子，扔了手里的锄头就要往城里跑，跑出了十来步，我不敢跑了，想想我这么进城去看家珍他们母子，我丈人怕是连门槛都不让我跨进去。我就对娘说：

"娘，你赶紧收拾收拾，去看看家珍他们。"

我娘也一遍遍说着要进城去看孙子，可过了几天她也没动身，我又不好催她。按我们这里的习俗，家珍是被她娘家的人硬给接走的，也应该由她娘家的人送回来。我娘对我说：

"有庆姓了徐，家珍也就马上要回来了。"

她又说："家珍现在身体虚，还是待在城里好。家珍要好好补一补。"

家珍是在有庆半岁的时候回来的。她来的时候没有坐轿子，她将有庆放在身后的一个包裹里，走了十多里路回来的。有庆闭着眼睛，小脑袋靠在他娘肩膀上一摇一摇回来认我这个爹了。

家珍穿着水红的旗袍，手挽一个蓝底白花的包裹，漂漂亮亮地回来了。路两旁的油菜花开得金黄金黄，蜜蜂嗡嗡叫着飞来飞去。家珍走到我家茅屋门口，没有一下子走进去，站在门口笑盈盈地看着我娘。

我娘在屋里坐着编草鞋，她抬起头来后看到一个漂亮的女人站在门口，家珍的身体挡住了光线，身体闪闪发亮。我娘没有认出来是家珍，也没有看到家珍身后的有庆。我娘问她：

"是谁家的小姐，你找谁呀？"

家珍听后咯咯笑起来，说道：

"是我，我是家珍。"

当时我和凤霞在田里，凤霞坐在田埂上看着我干活，我听到有个声音喊我，声音像我娘，也有些不像，我问凤霞：

"谁在喊？"

凤霞转过身去看一看说：

"是奶奶。"

我直起身体，看到我娘站在茅屋门口弯着腰使劲喊我，穿水红旗袍的家珍抱着有庆站在一旁。凤霞一看到她娘，撒腿跑了过去。我在水田里站着，看着我娘弯腰叫我的模样，她太使劲了，两只手撑在腿上，免得上面的身体掉到地上。凤霞跑得太快，在田埂上摇来晃去，终于扑到了家珍腿上，抱着有庆的家珍蹲下去和凤霞抱在一起。我这时才走上田埂，我娘还在喊，越走近他们，我脑袋里越是晕晕乎乎的。我一直走到家珍面前，对她笑了笑。家珍站起来，眼睛定定地看了我一阵。我当时那副穷模样使家珍一低头轻轻抽泣了。

我娘在一旁哭得呜呜响，她对我说：

"我说过家珍是你的女人，别人谁也抢不走的。"

家珍一回来，这个家就全了。我干活时也有了个帮手，我开始心疼自己的女人了，这是家珍告诉我的，我自己倒是不觉得。我常对家珍说：

"你到田埂上去歇会儿。"

家珍是城里小姐出身，细皮嫩肉的，看着她干粗活，我自然心疼。家珍听到我让她去歇一下，就高兴地笑起来，她说：

"我不累。"

我娘常说，只要人活得高兴，就不怕穷。家珍脱掉了旗袍，也和我一样穿上粗布衣服，她整天累得喘不过气来，还总是笑盈盈的。凤霞是个好孩子，我们从砖瓦的房屋搬到茅屋里去住，她照样高高兴兴，吃起粗粮来也不往外吐。弟弟回来以后她就更高兴了，再不到田边来陪我，就一心想着去抱弟弟。有庆苦啊，他姐姐还过了四五年好日子，有庆才在城里待了半年，就到我身边来受苦了，我觉得最对不起的就是儿子。

这样的日子过了一年后，我娘病了。开始只是头晕，我娘说看着我们时糊里糊涂的。我也没怎么在意，想想她年纪大了，眼睛自然看不清。后来有一天，我娘在烧火时突然头一歪，靠在墙上像是睡着了。等我和家珍从田里回来，她还那么靠着。家珍叫她，她也不答应，伸手推推她，她就顺着墙滑了下去。家珍吓得大声叫我，我走到灶间时，她又醒了过来，定定地看了我们一阵，我们问她，她也不答应，又过了一阵，她闻到焦糊的味道，知道饭煮煳了，才开口说道：

"哎呀，我怎么睡着了。"

我娘慌里慌张地想站起来，她站到一半腿一松，身体又掉到地上。我赶紧把她抱到床上，她没完没了地说自己睡着了，她怕我们不相信。家珍把我拉到一旁说：

"你去城里请个郎中来。"

请郎中可是要花钱的，我站着没动。家珍从褥子底下拿出了两块银元，是用手帕包着的。看看银元我有些心疼，那可是家珍从城里带来的，只剩下这两块了。可我娘的身体更叫我担心，我就拿过银元。家珍把手帕叠得整整齐齐重新塞到褥子底下，给我拿出一身干净衣服，让我换上。我对家珍说：

"我走了。"

家珍没说话，跟着我走到门口，我走了几步回过头去看看她，她往后理了理头发向我点点头。自从家珍回来以后，我还是第一次离开她。我穿着虽然破烂可是干干净净的衣服，脚上是我娘编的新草鞋，要进城去了。凤霞坐在门口的地上，怀里抱着睡着的有庆，她看到我穿得很干净，就问：

"爹，你不是下田吧？"

我走得很快，不到半个时辰就走到城里。我已有一年多没去城里了，走进城里时心里还真有点发虚，我怕碰到过去的熟人，我这身破烂衣服让他们见了，不知道他们会说些什么话。我最怕见到的还是我丈人，我不敢从米行那条街走，宁愿多绕一些路。城里几个郎中的医术我都知道，哪个收钱黑，哪个收钱公道我也知道。我想了想，还是去找住在绸店隔壁的林郎中，这个老头是我丈人的朋友，看在家珍的分上他也会少收些钱。

我路过县太爷府上时，看到一个穿绸衣的小孩正踮着脚，使劲想抓住敲门的铜环。那孩子的年纪就和我凤霞差不多大，我想这可能是县太爷的公子，就走上去对他说：

"我来帮你敲。"

小孩高兴地点点头，我就扣住铜环使劲敲了几下，里面有人答应：

"来啦。"

这时小孩对我说：

"我们快跑吧。"

我还没明白过来，小孩贴着墙壁溜走了。门打开后，一个仆人打扮的男人一看到我穿的衣服，什么话没说就伸手推了我一把。我没料到他会这样，身体一晃就从台阶上跌下来。我从地上爬起来，本来我想算了，可这家伙又走下来踢了我一脚，还说：

"要饭也不看这是什么地方。"

我的火一下子上来了，我骂道：

"老子就是啃你家祖坟里的烂骨头，也不会向你要饭。"

他扑上来就打，我脸上挨了一拳，他也挨了我一脚。我们两个人就在街上扭打起来。这小子黑得很，看看一下子打不赢我，就瞅着我的裤裆抬脚。我呢，好几次踢在他屁股上。我们两个都不会打架，打了一阵听到有人在后面喊：

"难看死啦，这两个畜生打架打得难看死啦。"

我们停住手脚，往后一看，一队穿黄衣服的国民党大兵站在那里，十来门大炮都由马车拉着。刚才喊叫的那个人腰里别着一把手枪，是个当官的。那仆人真灵活，一看到当官的就马上点头哈腰：

"长官，嘿嘿，长官。"

长官向我们两个挥挥手说：

"两头蠢驴，打架都不会，给我去拉大炮。"

我一听这话头皮阵阵发麻，他是拉我当壮丁的。那仆人也急了，走上前去说：

"长官，我是本县县太爷家里的。"

长官说："县太爷的公子更应该为党国出力嘛。"

"不，不。"仆人吓得连声说，"我不是公子，打死我也不敢。排长，我是县太爷的仆人。"

"操你娘。"长官大声骂道，"老子是连长。"

"是，是，连长，我是县太爷的仆人。"

那仆人怎么说都没用，反而把连长说烦了，连长伸手给他一巴掌：

"少他娘的说废话，去拉大炮。"他看到了我，"还有你。"

我只好走上去，拉住一匹马的缰绳，跟着他们往前走。我想到时候找个机会再逃跑吧。那仆人还在前面向连长求情，走了一段路后，连长竟然答应了，他说：

"行，行，你回去吧，你小子烦死我了。"

仆人高兴坏了，他像是要跪下来给连长叩头，可又没有下跪，只是在连长面前不停地搓着手。连长说：

"还不滚蛋。"

仆人说："滚，滚，我这就滚。"

仆人说着转身走去，这时候连长从腰里抽出手枪来，把胳膊端平了，闭上一只眼睛向走去的仆人瞄准。仆人走出了十多步回过头来看看，这一看把他吓得傻站在那里一动不动，像只夜里的麻雀一样让连长瞄准。连长这时对他说：

"走呀，走呀。"

仆人扑通一声跪在地上，连哭带喊：

"连长，连长，连长。"

连长向他开了一枪，没有打中，打在他身旁，飞起的小石子划破了他的手，手倒是出血了。连长握着手枪向他挥动着说：

"站起来，站起来。"

他站了起来。连长又说："走呀，走呀。"

他伤心地哭了，结结巴巴地说：

"连长，我拉大炮吧。"

连长又端起胳膊，第二次向他瞄准，嘴里说着：

"走呀，走呀。"

仆人这时才突然明白似的，一转身就疯跑起来。连长打出第二枪时，他刚好拐进了一条胡同。连长看看自己的手枪，骂了一声：

"他娘的，老子闭错了一只眼睛。"

连长转过身来，看到了站在后面的我，就提着手枪走过来，把枪口顶着我的胸膛，对我说：

"你也回去吧。"

我的两条腿拼命哆嗦，心想他这次就是两只眼睛全闭错，也会一枪把我送上西天。我连声说：

"我拉大炮，我拉大炮。"

我右手拉着缰绳，左手捏住口袋里家珍给我的两块银元，走出城里时，看到田地里与我家相像的茅屋，我低下头哭了。

我跟着这支往北去的炮队，越走越远，一个多月后我们走到了安徽。开始的几天我一心想逃跑，当时想逃跑的不只是我一个人，每过两天，连里就会少掉一两张熟悉的脸，我心想他们是不是逃跑了，我就问一个叫老全的老兵。老全说：

"谁也逃不掉。"

老全问我夜里睡觉听到枪声没有，我说听到了，他说：

"那就是打逃兵的，命大的不被打死，也会被别的部队抓去。"

老全说得我心都寒了。老全告诉我，他抗战时就被拉了壮丁，开拔到江西他逃了出来，没几天又被去福建的部队拉了去。当兵六年多，没跟日本人打过仗，光跟共产党的游击队打仗。这中间他逃跑了七次，都被别的部队拉了去。最后一次他离家只有一百多里路了，结果撞上了这一支炮队。老全说他不想再跑了，他说：

"我逃腻了。"

我们渡过长江以后就穿上了棉袄。一过长江，我想逃跑的心也死了，离家越远我也就越没有胆量逃跑。我们连里有十来个都是十五六岁的孩子，有一个叫春生的娃娃兵，是江苏人，他老向我打听往北去是不是打仗，我就说是的。其实我也不知道，我想当上了兵就逃不了要打仗。春生和我最亲热，他总是挨着我，拉着我的胳膊问：

"我们会不会被打死？"

我说："我不知道。"

说这话时我自己心里也是一阵阵难受。过了长江以后，我们开始听到枪炮声，起先是远远传来，我们又走了两天，枪炮声越来越响。那时我们来到了一个村庄，村里别说是人了，连牲畜都见不着。连长命令我们架起大炮，我知道这下是真要打仗了。有人走过去问连长：

"连长，这是什么地方？"

连长说："你问我，我他娘的去问谁？"

连长都不知道我们到了什么地方，村里人跑了个精光，我望望四周，除了光秃秃的树和一些茅屋，什么都没有。过了两天，穿黄衣服的大兵越来越多，他们在四周一队队走过去，又一队队走过来，有些部队就在我们旁边扎下了。又过了两天，我们一炮还未打，连长对我们说：

"我们被包围了。"

被包围的不只是我们一个连，有十来万人的国军全被包围在方圆只有二十来里路的地方，满地都是黄衣服，像是赶庙会一样。这时候老全神了，他坐在坑道外的土墩上吸着烟，看着那些来来去去的黄皮大兵，不时和中间某个人打声招呼，他认识的人实在是多。老全走南闯北，在七支部队里混过，他嘻嘻哈哈和几个旧相识说着脏话，互相打听几个人名，我听他们不是说死了，就是说前两天还见过。老全告诉我和春生，这些人当初都和他一起逃跑过。老全正说着，有个人向这里叫：

"老全，你还没死啊？"

老全又遇到旧相识了，哈哈笑道：

"你小子什么时候被抓回来的？"

那人还没说话，另一边也有人叫上老全了。老全扭脸一看，急忙站起来喊：

"喂，你知道老良在哪里？"

那个人嘻嘻笑着喊道：

"死啦。"

老全沮丧地坐下来，骂道：

"妈的，他还欠我一块银元呢。"

接着老全得意地对我和春生说：

"你们瞧，谁都没逃成。"

刚开始我们只是被包围住，解放军没有立刻来打我们，我们还不怎么害怕，连长也不怕，他说蒋委员长会派坦克来救我们出去的。后来前面的枪炮声越来越响，我们也没有很害怕，只是一个个都闲着没事可干，连长没有命令我们开炮。有个老兵想想前面的弟兄流血送命，我们老闲着也不是个办法，他就去问连长：

"我们是不是也打几炮？"

连长那时候躲在坑道里赌钱，他气冲冲地反问：

"打炮，往哪里打？"

连长说得也对，几炮打出去要是打在国军兄弟头上，前面的国军一气之下杀回来收拾我们，这可不是闹着玩的。连长命令我们都在坑道里待着，爱干什么就干什么，就是别出去打炮。

被包围以后，我们的粮食和弹药全靠空投。飞机在上面一出现，下面的国军就跟蚂蚁似的密密麻麻地拥来拥去，扔下的一箱箱弹药没人要，全都往一袋袋大米上扑。飞机一走，抢到大米的国军兄弟两个人提一袋，旁边的人端着枪，保护他们，那么一堆一堆地分散开去，都走回自己的坑道。

没过多久，成群结伙的国军向房屋和光秃秃的树木拥去，远近的茅屋顶上都爬上去了人，又拆茅屋又砍树，这哪还像是打仗，乱糟糟的响声差不多都要盖住前沿的枪炮声了。才半天工夫，眼睛望得到的房屋树木全没了，空地上全都是扛着房梁、树木和抱着木板、凳子的大兵，他们回到自己的坑道后，一条条煮米饭的炊烟就升了起来，在空中扭来扭去。

那时候最多的就是子弹了，往哪里躺都硌得身体疼。四周的房屋被拆光，树也砍光后，满地的国军提着刺刀去割枯草，那情形真像是农忙时在割稻子，有些人满头大汗地刨着树根。还有一些人开始掘坟，用掘出的棺材板烧火。掘出了棺材就把死人骨头往坑外一丢，也不给重新埋了，到了那种时候，谁也不怕死人骨头了，夜里就是挨在一起睡觉也不会做噩梦。煮米饭的柴越来越少，米倒是越来越多。没人抢米了，我们三个人去扛了几袋米回来，铺在坑道当睡觉的床，这样躺着就不怕子弹硌得身体难受了。

等到再也没有什么可当柴煮米饭时，蒋委员长还没有把我们救出去。好在那时飞机不再往下投大米，改成投大饼，成包的大饼一落地，弟兄们像牲畜一样扑上去乱抢，叠得一层又一层，跟我娘纳出的鞋底一样，他们嗷嗷乱叫着和野狼没什么两样。

老全说："我们分开去抢。"

这种时候只能分开去抢，才能多抢些大饼回来。我们爬出坑道，自己选了个方向走去。当时子弹在很近的地方飞来飞去，常有一些流弹蹿过来。有一次我跑着跑着，身边一个人突然摔倒，我还以为他是饿昏了，扭头一看他半个脑袋没了，吓得我腿一软也差一点摔倒。抢大饼比抢大米还难，按说国军每天都在拼命地死人，可当飞机从天那边飞过来时，人全从地里冒了出来，光秃秃的地上像是突然长出了一排排草，跟着飞机跑，大饼一扔下，人才散开去，各自冲向看好的降落伞。大饼包得也不结实，一落地就散了，几十上百个人往一个地方扑，有些人还没挨着地就撞昏过去了，我抢一次大饼就跟被人吊起来用皮带打了一顿似的全身疼。到头来也只是抢到了几张大饼。回到坑道里，老全已经坐在那里了，他脸上青一块紫一块的，他抢到的饼也不比我多。老全当了八年兵，心地还是很善良，他把自己的饼往我的上面一放，说等春生回来一起吃。我们两个就蹲在坑道里，露出脑袋张望春生。

过了一会，我们看到春生怀里抱着一堆胶鞋猫着腰跑来了，这孩子高兴得满脸通红，他一翻身滚了进来，指着满地的胶鞋问我们：

"多不多？"

老全望望我，问春生：

"这能吃吗？"

春生说："可以煮米饭啊。"

我们一想还真对，看看春生脸上一点伤都没有，老全对我说："这小子比谁都精。"

后来我们就不去抢大饼了，用上了春生的办法。抢大饼的人叠在一起时，我们就去扒他们脚上的胶鞋，有些脚没有反应，有些脚乱蹬起来，我们就随手捡个钢盔狠狠揍那些不老实的脚，挨了揍的脚抽搐几下都跟冻僵似的硬了。我们抱着胶鞋回到坑道里生火，反正大米有的是，这样还免去了皮肉之苦。我们三个人边煮着米饭，边看着那些光脚在冬天里一走一跳的人，嘿嘿笑个不停。

前沿的枪炮声越来越紧，也不分白天和晚上。我们待在坑道里也听惯了，经常有炮弹在不远处爆炸，我们连的大炮都被打烂了，这些大炮一炮都没放，就成了一堆烂铁，我们更加没事可干了。那么一些日子下来，春生也不怎么害怕了，到那时候怕也没有用。

枪炮声越来越近,我们总觉得还远着呢。最难受的就是天越来越冷,睡上几分钟就冻醒一次。炮弹在外面爆炸时常震得我们耳朵里嗡嗡乱叫,春生怎么说也只是个孩子,他迷迷糊糊睡着时,一颗炮弹飞到近处一炸,把他的身体都弹了起来,他被吵醒后怒气冲冲地站在坑道上,对前面的枪炮声大喊:

"你们他娘的轻一点,吵得老子都睡不着。"

我赶紧把他拉下来,当时子弹已在坑道上面飞来飞去了。

国军的阵地一天比一天小,我们就不敢随便爬出坑道,除非饿极了才出去找吃的。每天都有几千伤号被抬下来,我们连的阵地在后方,成了伤号的天下。有那么几天,我和老全、春生扑在坑道上,露出三个脑袋,看那些抬担架的将缺胳膊断腿的伤号抬过来。隔上不多时间,就过来一长串担架,抬担架的都猫着腰,跑到我们近前找一块空地,喊一、二、三,喊到三时将担架一翻,倒垃圾似的将伤号扔到地上就不管了。伤号疼得嗷嗷乱叫,哭天喊地的叫声是一长串一长串响过来。老全看着那些抬担架的离去,骂了一声:

"这些畜生。"

伤号越来越多,只要前面枪炮声还在响,就有担架往这里来,喊着一、二、三把伤号往地上扔。地上的伤号起先是一堆一堆,没多久就连成一片,在那里疼得嗷嗷直叫,那叫喊我一辈子都忘不了,我和春生看得心里一阵阵冒寒气,连老全都直皱眉。我想这仗怎么打呀?

　　天一黑,又下起了雪。有一长段时间没有枪炮声,我们就听着躺在坑道外面几千没死的伤号呜呜的声音,像是在哭,又像是在笑,那是疼得受不了的声音,我这辈子就再没听到过这么怕人的声音了。一大片一大片,就像潮水从我们身上涌过去。雪花落下来,天太黑,我们看不见雪花,只是觉得身体又冷又湿,手上软绵绵一片,慢慢地化了,没多久又积上了厚厚一层雪花。

　　我们三个人紧挨着睡在一起,又饿又冷,那时候飞机也来得少了,都很难找到吃的东西。谁也不会再去盼蒋委员长来救我们了,接下去是死是活谁也不知道。春生推推我,问:

　　"福贵,你睡着了吗?"

　　我说:"没有。"

　　他又推推老全,老全没说话。春生鼻子抽了两下,对我说:

　　"这下活不成了。"

　　我听了这话鼻子里也酸溜溜的。老全这时说话了,他两条胳膊伸了伸说:

　　"别说这丧气话。"

　　他身体坐起来,又说:

　　"老子大小也打过几十次仗了,每次我都对自己说:老子死也要活着。子弹从我身上什么地方都擦过,就是没伤着我。春生,只要想着自己不死,就死不了。"

接下去我们谁也没说话，都想着自己的心事。我是一遍遍想着自己的家，想想凤霞抱着有庆坐在门口，想想我娘和家珍。想着想着心里像是被堵住了，都透不过气来，像被人捂住了嘴和鼻子一样。

到了后半夜，坑道外面伤号的呜咽渐渐小了下去，我想他们大部分都睡着了吧。只有不多的几个人还在呜呜地响，那声音一段一段的，飘来飘去，听上去像是在说话，你问一句，他答一声，声音凄凉得都不像是活人发出来的。那么过了一阵后，只剩下一个声音在呜咽了，声音低得像蚊虫在叫，轻轻地在我脸上飞来飞去，听着听着已不像是在呻吟，倒像是在唱什么小调。周围静得什么声响都没有，只有这样一个声音，长久地在那里转来转去。我听得眼泪都流了出来，把脸上的雪化了后，流进脖子就跟冷风吹了进来。

天亮时，什么声音也没有了，我们露出脑袋一看，昨天还在喊叫的几千伤号全死了，横七竖八地躺在那里，一动不动，上面盖了一层薄薄的雪花。我们这些躲在坑道里还活着的人呆呆看了半晌，谁都没说话。连老全这样不知见过多少死人的老兵也傻看了很久，末了他叹息一声，摇摇头对我们说：

"惨啊。"

说着，老全爬出了坑道，走到这一大片死人中间翻翻这个，拨拨那个，老全弓着背，在死人中间跨来跨去，时而蹲下去用雪给某一个人擦擦脸。这时枪炮声又响了起来，一些子弹朝这里飞来。我和春生一下子回过魂来，赶紧向老全叫：

"你快回来。"

老全没答理我们，继续看来看去。过了一会，他站住了，来回张望了几下，才朝我们走来。走近了他向我和春生伸出四根指头，摇着头说：

"有四个，我认识。"

话刚说完，老全突然向我们睁圆了眼睛，他的两条腿僵住似的站在那里，随后身体往下一掉跪在了那里。我们不知道他为什么这样，只看到有子弹飞来，就拼命叫：

"老全，你快点。"

喊了几下后，老全还是那么一副样子，我才想完了，老全出事了。我赶紧爬出坑道，向老全跑去，跑到跟前一看，老全背脊上一摊血，我眼睛一黑，哇哇地喊春生。等春生跑过来后，我们两个人把老全抬回到坑道，子弹在我们身旁时时忽的一下擦过去。

我们让老全躺下，我用手顶住他背脊上那摊血，那地方又湿又烫，血还在流，从我指缝流出去。老全眼睛慢吞吞地眨了一下，像是看了一会我们，随后嘴巴动了动，声音沙沙地问我们：

"这是什么地方？"

我和春生抬头向周围望望，我们怎么会知道这是什么地方，只好重新去看老全。老全将眼睛紧紧闭了一下，接着慢慢睁开，越睁越大，他的嘴歪了歪，像是在苦笑，我们听到他沙哑地说：

"老子连死在什么地方都不知道。"

老全说完这话，过了没多久就死了。老全死后脑袋歪到了一旁，我和春生知道他已经死了，互相看了半晌，春生先哭了，春生一哭我也忍不住哭了。

后来，我们看到了连长。他换上老百姓的衣服，腰里绑满了钞票，提着个包裹向西走去。我们知道他是要逃命了，衣服里绑着的钞票让他走路时像个一扭一扭的胖老太婆。有个娃娃兵向他喊：

"连长，蒋委员长还救不救我们？"

连长回过头来说：

"蠢蛋，这种时候你娘也不会来救你了，还是自己救自己吧。"一个老兵向他打了一枪，没打中。连长一听到子弹朝他飞去，全没有了过去的威风，撒开两腿就疯跑起来，好几个人都端起枪来打他，连长哇哇叫着跳来跳去在雪地里逃远了。

枪炮声响到了我们鼻子底下，我们都看得见前面开枪的人影了，在硝烟里一个一个摇摇晃晃地倒下去。我算计着自己活不到中午，到不了中午就该轮到我去死了。一个来月在枪炮里混下来后，我倒不怎么怕死，只是觉得自己这么死得不明不白实在是冤，我娘和家珍都不知道我死在何处。

我看看春生，他的一只手还搁在老全身上，愁眉苦脸地也在看着我。我们吃了几天生米，春生的脸都吃肿了。他伸舌头舔舔嘴唇，对我说：

"我想吃大饼。"

到这时候死活已经不重要了，死之前能够吃上大饼也就知足了。春生站了起来，我没叫他小心子弹，他看了看说：

"兴许外面还有饼，我去找找。"

春生爬出了坑道，我没拦他，反正到不了中午我们都得死，他要是真吃到大饼那就太好了。我看着他有气无力地从尸体上跨了过去，这孩子走了几步还回过头来对我说：

"你别走开，我找着了大饼就回来。"

他垂着双手，低头走入了前面的浓烟。那个时候空气里满是焦糊和硝烟味，吸到嗓子眼里觉得有一颗一颗小石子似的东西。

中午没到的时候，坑道里还活着的人全被俘虏了。当端着枪的解放军冲上来时，有个老兵让我们举起双手，他紧张得脸都青了，叫嚷着要我们别碰身边的枪，他怕到时候连他也跟着倒霉。有个比春生大不了多少的解放军将黑洞洞的枪口对准我，我心一横，想这次是真要死了。可他没有开枪，对我叫嚷着什么，我一听是要我爬出去，我心里一下子咚咚乱跳了，我又有活的盼头了。我爬出坑道后，他对我说：

"把手放下吧。"

我放下了手，悬着的心也放下了。我们一排二十多个俘虏由他一人押着向南走去，走不多远就汇入到一队更大的俘虏里。到处都是一柱柱冲天的浓烟，向着同一个地方弯过去。地上坑坑洼洼，满是尸体和炸毁了的大炮枪支，烧黑了的军车还在噼噼啪啪。我们走了一段后，二十多个挑着大白馒头的解放军从北横着向我们走来，馒头热气腾腾，看得我口水直流。押我们的一个长官说：

"你们自己排好队。"

没想到他们是给我们送吃的来了，要是春生在该有多好，我往远处看看，不知道这孩子是死是活。我们自动排出了二十多个队形，一个挨着一个每人领了两个馒头，我从没听到过这么一大片吃东西的声音，比几百头猪吃东西时还响。大家都吃得太快，有些人拼命咳嗽，咳嗽声一声比一声高，我身旁的一个咳得比谁都响，他捂着腰疼得眼泪横流。更多的人是噎住了，都抬着脑袋对天空直瞪眼，身体一动不动。

第二天早晨，我们被集合到一块空地上，整整齐齐地坐在地上。前面是两张桌子，一个长官模样的人对我们说话，他先是讲了一通解放全中国的道理，最后宣布愿意参加解放军的继续坐着，想回家的就站出来，去领回家的盘缠。

一听可以回家，我的心怦怦乱跳，可我看到那个长官腰里别了一支手枪又害怕了，我想哪有这样的好事。很多人都坐着没动，有一些人走出去，还真的走到那桌子前去领了盘缠，那个长官一直看着他们，他们领了钱以后还领了通行证，接着就上路了。我的心提到了嗓子眼，那个长官肯定会拔出手枪来毙他们，就跟我们连长一样。可他们走出很远以后，长官也没有掏出手枪。这下我紧张了，我知道解放军是真的愿意放我们回家。这一仗打下来我知道什么叫打仗了，我对自己说再也不能打仗了，我要回家。我就站起来，一直走到那位长官面前，扑通跪下后就哇哇哭起来，我原本想说我要回家，可话到嘴边又变了，我一遍遍叫着：

"连长，连长，连长——"

别的什么话也说不出来，那位长官把我扶起来，问我要说什么。我还是叫他连长，还是哭。旁边一个解放军对我说：

"他是团长。"

他这一说把我吓住了，心想糟了。可听到坐着的俘虏哄地笑起来，又看到团长笑着问我：

"你要说什么？"

我这才放心下来，对团长说：

"我要回家。"

解放军让我回家，还给了盘缠。我一路急匆匆往南走，饿了就用解放军给的盘缠买个烧饼吃下去，困了就找个平整一点的地方睡一觉。我太想家了，一想到今生今世还能和我娘和家珍和我一双儿女团聚，我又是哭又是笑，疯疯癫癫地往南跑。

我走到长江边时，南面还没有解放，解放军在准备渡江了。我过不去，在那里耽搁了几个月。我就到处找活干，免得饿死。

我知道解放军缺摇船的，我以前有钱时觉得好玩，学过摇船。好几次我都想参加解放军，替他们摇船摇过长江去。想想解放军对我好，我要报恩。可我实在是怕打仗，怕见不到家里人。为了家珍他们，我对自己说：

"我就不报恩了，我记得解放军的好。"

我是跟在往南打去的解放军屁股后面回到家里的，算算时间，我离家都快两年了。走的时候是深秋，回来是初秋。我满身泥土走上了家乡的路，后来我看到了自己的村庄，一点都没变，我一眼就看到了，我急匆匆往前走。看到我家先前的砖瓦房，又看到了现在的茅屋，我一看到茅屋忍不住跑了起来。

离村口不远的地方，一个七八岁的女孩，带着个三岁的男孩在割草。我一看到那个穿得破破烂烂的女孩就认出来了，那是我的凤霞。凤霞拉着有庆的手，有庆走路还磕磕绊绊。我就向凤霞有庆喊：

"凤霞，有庆。"

凤霞像是没有听到，倒是有庆转回身来看我，他被凤霞拉着还在走，脑袋朝我这里歪着。我又喊：

"凤霞，有庆。"

这时有庆拉住了他姐姐，凤霞向我转了过来。我跑到跟前，蹲下去问凤霞：

"凤霞，还认识我吗？"

凤霞张大眼睛看了我一阵,嘴巴动了动没有声音。我对凤霞说:

"我是你爹啊。"

凤霞笑了起来,她的嘴巴一张一张,可是什么声音都没有。当时我就觉得有些不对劲,只是我没往细里想。我知道凤霞认出我来了,她张着嘴向我笑,她的门牙都掉了。我伸手去摸她的脸,她的眼睛亮了亮,就把脸往我手上贴,我又去看有庆,有庆自然认不出我,他害怕地贴在姐姐身上,我去拉他,他就躲着我,我对他说:

"儿子啊,我是你爹。"

有庆干脆躲到了姐姐身后,推着凤霞说:

"我们快走呀。"

这时有一个女人向我们这里跑来,哇哇叫着我的名字,我认出来是家珍,家珍跑得跌跌撞撞,跑到跟前喊了一声:

"福贵。"

就坐在地上大声哭起来。我对家珍说:

"哭什么,哭什么?"

这么一说,我也呜呜地哭了。

我总算回到了家里,看到家珍和一双儿女都活得好好的,我的心放下了。他们拥着我往家里走去,一走近自家的茅屋,我就连连喊:

"娘,娘。"

喊着我就跑了起来，跑到茅屋里一看，没见到我娘，当时我眼睛就黑了一下，折回来问家珍：

"我娘呢？"

家珍什么也不说，就是泪汪汪地看着我，我也就知道娘到什么地方去了。我站在门口脑袋一垂，眼泪便刷刷地流了出来。

我离家两个月多一点，我娘就死了。家珍告诉我，我娘死前一遍一遍对家珍说：

"福贵不会是去赌钱的。"

家珍去城里打听过我不知多少次，竟会没人告诉她我被抓了壮丁，我娘才这么说。可怜她死的时候，还不知道我在什么地方。我的凤霞也可怜，一年前她发了一次高烧后就再不会说话了。家珍哭着告诉我这些时，凤霞就坐在我对面，她知道我们是在说她，就轻轻地对着我笑。看到她笑，我心里就跟针扎一样。有庆也认我这个爹了，只是他仍有些怕我，我一抱他，他就拼命去看家珍和凤霞。随便怎么说，我都回到家里了。头天晚上我怎么都睡不着，我和家珍，还有两个孩子挤在一起，听着风吹动屋顶的茅草，看着外面亮晶晶的月光从门缝里钻进来，我心里是又踏实又暖和，我一会就要去摸摸家珍，摸摸两个孩子，我一遍遍对自己说：

"我回家了。"

我回来的时候，村里开始搞土地改革了，我分到了五亩地，就是原先租龙二的那五亩。龙二是倒大霉了，他做上地主，神气了不到四年，一解放他就完蛋了。共产党没收了他的田产，分给了从前的佃户。他还死不认账，去吓唬那些佃户，也有不买账的，他就动手去打人家。龙二也是自找倒霉，人民政府把他抓了去，说他是恶霸地主。被送到城里大牢后，龙二还是不识时务，那张嘴比石头都硬，最后就给毙掉了。

枪毙龙二那天我也去看了。龙二死到临头才泄了气，听说他从城里被押出来时眼泪汪汪、流着口水对一个熟人说：

"做梦也想不到我会被毙掉。"

龙二也太糊涂了，他以为自己被关几天就会放出来，根本不相信会被枪毙。那是在下午，枪决龙二就在我们的一个邻村，事先有人挖好了坑。那天附近好几个村里的人都来看了，龙二被五花大绑地押了过来，他差不多是被拖过来的，嘴巴半张着呼哧呼哧直喘气。龙二从我身边走过时看了我一眼，我觉得他没认出我来，可走了几步他硬是回过头来，哭着鼻子对我喊道：

"福贵，我是替你去死啊。"

听他这么一喊，我慌了，想想还是离开吧，别看他怎么死了。我从人堆里挤出去，一个人往外走，走了十来步就听到"砰"的一枪，我想龙二彻底完蛋了，可紧接着又是"砰"的一枪，下面又打了三枪，总共是五枪。我想是不是还有别的人也给毙掉，回去的路上我问同村的一个人：

"毙了几个？"

他说:"就毙了龙二。"

龙二真是倒霉透了,他竟挨了五枪,哪怕他有五条命也全报销了。

毙掉龙二后,我往家里走去时脖子上一阵阵冒冷气,我是越想越险,要不是当初我爹和我是两个败家子,没准被毙掉的就是我了。我摸摸自己的脸,又摸摸自己的胳膊,都好好的,我想想自己是该死却没死,我从战场上捡了一条命回来,到了家龙二又成了我的替死鬼,我家的祖坟埋对了地方,我对自己说:

"这下可要好好活了。"

我回到家里时,家珍正在给我纳鞋底,她看到我的脸色吓一跳,以为我病了。当我把自己想的告诉她,她也吓得脸蛋白一阵青一阵,嘴里咝咝地说:

"真险啊。"

后来我就想开了,觉得也用不着自己吓唬自己,这都是命。常言道,大难不死必有后福。我想我的后半截该会越来越好了。我这么对家珍说了,家珍用牙咬断了线,看着我说:

"我也不想要什么福分,只求每年都能给你做一双新鞋。"

我知道家珍的话,我的女人是在求我们从今以后再不分开。看着她老了许多的脸,我心里一阵酸疼。家珍说得对,只要一家人天天在一起,也就不在乎什么福分了。

福贵的讲述到这里中断，我发现我们都坐在阳光下了，阳光的移动使树荫悄悄离开我们，转到了另一边。福贵的身体动了几下才站起来，他拍了拍膝盖对我说：

"我全身都是越来越硬，只有一个地方越来越软。"

我听后不由高声笑起来，朝他耷拉下去的裤裆看看，那里沾了几根青草。他也嘿嘿笑了一下，很高兴我明白他的意思。然后他转过身去喊那头牛：

"福贵。"

那头牛已经从水里出来了，正在啃吃着池塘旁的青草，牛站在两棵柳树下面，牛背上的柳枝失去了垂直的姿态，出现了纷乱的弯曲，在牛的脊背上刷动，一些树叶慢吞吞地掉落下去。

老人又叫了一声：

"福贵。"

牛的屁股像是一块大石头慢慢地移进了水里，随后牛脑袋从柳枝里钻了出来,两只圆滚滚的眼睛朝我们缓缓移来。老人对牛说：

"家珍他们早在干活啦，你也歇够了。我知道你没吃饱，谁让你在水里待这么久？"

福贵牵着牛到了水田里，给牛套上犁的工夫，他对我说：

"牛老了也和人老了一样，饿了还得先歇一下，才吃得下去东西。"

我重新在树荫里坐下来，将背包垫在腰后，靠着树干，用草帽扇着风。老牛的肚皮耷拉下来，长长一条，它耕地时肚皮犹如一只大水袋一样摇来晃去。我注意到福贵耷拉下去的裤裆，他的裤裆也在晃动，很像牛的肚皮。

那天我一直在树荫里坐到夕阳西下，我没有离开是因为福贵的讲述还没有结束。

我回家后的日子苦是苦，过得还算安稳。凤霞和有庆一天天大起来，我呢，一天比一天老了。我自己还没觉得，家珍也没觉得，我只是觉得力气远不如从前。到了有一天，我挑着一担菜进城去卖，路过原先绸店那地方，一个熟人见到我就叫了：

"福贵，你头发白啦。"

其实我和他也只是半年没见着，他这么一叫，我才觉得自己是老了许多。回到家里，我把家珍看了又看，看得她不知出了什么事，低头看看自己，又看看背后，才问：

"你看什么呀？"

我笑着告诉她："你的头发也白了。"

那一年凤霞十七岁了，凤霞长成了女人的模样，要不是她又聋又哑，提亲的也该找上门来了。村里人都说凤霞长得好，凤霞长得和家珍年轻时差不多。有庆也有十二岁了，有庆在城里念小学。

当初送不送有庆去念书，我和家珍着实犹豫了一阵，没有钱啊。凤霞那时才十二三岁，虽说也能帮我干点田里活，帮家珍干些家里活，可总还是要靠我们养活。我就和家珍商量是不是把凤霞送给别人算了，好省下些钱供有庆念书。别看凤霞听不到，不会说，她可聪明呢，我和家珍一说起把凤霞送人的事，凤霞马上就会扭过头来看我们，两只眼睛一眨一眨，看得我和家珍心都酸了，几天不再提起那事。

眼看着有庆上学的年纪越来越近，这事不能不办了。我就托村里人出去时顺便打听打听，有没有人家愿意领养一个十二岁的女孩。我对家珍说：

"要是碰上一户好人家，凤霞就会比现在过得好。"

家珍听了点着头，眼泪却下来了。做娘的心肠总是要软一些。我劝家珍想开点，凤霞命苦，这辈子看来是要苦到底了。有庆可不能苦一辈子，要让他念书，念书才会有个出息的日子。总不能让两个孩子都被苦捆住，总得有一个日后过得好一些。

村里出去打听的人回来说凤霞大了一点，要是减掉一半岁数，要的人家就多了。这么一说我们也就死心了。谁知过了一个来月，两户人家捎信来要我们的凤霞，一户是领凤霞去做女儿，另一户是让凤霞去侍候两个老人。我和家珍都觉得那户没有儿女的人家好，把凤霞当女儿，总会多疼爱她一些，就传口信让他们来看看。他们来了，见了凤霞夫妻两个都挺喜欢，一知道凤霞不会说话，他们就改变了主意，那个男的说：

"长得倒是挺干净的，只是……"

他没往下说，客客气气地回去了。我和家珍只好让另一户人家来领凤霞。那户倒是不在乎凤霞会不会说话，他们说只要勤快就行。

凤霞被领走那天，我扛着锄头准备下地时，她马上就提上篮子和镰刀跟上了我。几年来我在田里干活，凤霞就在旁边割草，已经习惯了。那天我看到她跟着，就推推她，让她回去。她睁圆了眼睛看我，我放下锄头，把她拉回到屋里，从她手里拿过镰刀和篮子，扔到了角落里。她还是睁圆眼睛看着我，她不知道我们把她送给别人了。当家珍给她换上一件水红颜色的衣服时，她不再看我，低着头让家珍给她穿上衣服，那是家珍用过去的旗袍改做的。家珍给她扣纽扣时，她眼泪一颗一颗滴在自己腿上。凤霞知道自己要走了。我拿起锄头走出去，走到门口我对家珍说：

"我下地了，领凤霞的人来了，让他带走就是，别来见我。"

我到了田里，挥着锄头干活时，总觉得劲使不到点子上。我是心里发虚啊，往四周看看，看不到凤霞在那里割草，觉得心都空了。想想以后干活时再见不到凤霞，我难受得一点力气都没有。这当儿我看到凤霞站在田埂上，身旁一个五十来岁的男人拉着她的手。凤霞的眼泪在脸上哗哗地流，她哭得身体一抖一抖，凤霞哭起来一点声音也没有，她时不时抬起胳膊擦眼睛，我知道她这样做是为了看清楚她爹。那个男人对我笑了笑，说道：

"你放心吧，我会对她好的。"

说完他拉了拉凤霞，凤霞就跟着他走了。凤霞手被拉着走去时，身体一直朝我这边歪着，她一直在看着我。凤霞走着走着，我就看不到她的眼睛了，再过一会，她擦眼睛抬起的胳膊也看不到了。这时我实在忍不住了，歪了歪头眼泪掉了下来。家珍走过来时，我埋怨她：

"叫你别让他们过来，你偏要让他们过来见我。"

家珍说："不是我，是凤霞自己过来的。"

凤霞走后，有庆不干了。起先凤霞被人领走时，有庆瞪着眼睛还不知道出了什么事，直到凤霞走远了，他才挠着头一步一步往回走。我看到他朝我这里张望几下，就是不过来问我。他还在家珍肚子里时我就打过他，他看到我怕。

吃午饭时，桌子旁没有了凤霞，有庆吃了两口就不吃了，眼睛对着我和家珍转来转去。家珍对他说：

"快吃。"

他摇摇小脑袋，问他娘：

"姐姐呢？"

家珍一听这话头便低下了，她说：

"你快吃。"

这小家伙干脆把筷子一放，对他娘叫道：

"姐姐什么时候回来？"

凤霞一走，我心里本来就乱糟糟的，看到有庆这样子，一拍桌子说：

"凤霞不回来啦。"

有庆吓得身体抖了一下，看看我没再发火，他嘴巴歪了两下，低着脑袋说：

"我要姐姐。"

家珍就告诉他，我们把凤霞送给别人家了，为了省下些钱供他上学。听到把凤霞送给了别人，有庆嘴一张哇哇地哭了，边哭边喊：

"我不上学，我要姐姐。"

我没理他，心想他要哭就让他哭吧，谁知他又叫了：

"我不上学。"把我的心都叫乱了，我对他喊：

"你哭个屁。"

有庆给吓住了，身体往后缩缩，看到我低头重新吃饭，他就离开凳子，走到墙角，突然又喊了一声：

"我要姐姐。"

我知道这次非揍他不可了，从门后拿出扫帚走过去，对他说：

"转过去。"

有庆看看家珍，乖乖地转了过去，两只手扶在墙上，我说：

"脱掉裤子。"

有庆脑袋扭过来，看看家珍，脱下了裤子后又转过脸来看家珍，看到他娘没过来拦我，他慌了。我举起扫帚时，他怯生生地说：

"爹，别打我好吗？"

他这么说，我心也就软了。有庆也没有错，他是凤霞带大的，他对姐姐亲，想姐姐。我拍拍他的脑袋，说：

"快去吃饭吧。"

过了两个月，有庆上学的日子到了。凤霞被领走时穿了一件好衣服，有庆上学了还是穿得破破烂烂，家珍做娘的心里怪难受的，她蹲在有庆跟前，替他这儿拉拉，那儿拍拍，对我说：

"都没件好衣服。"

谁想到有庆这时候又说：

"我不上学。"

都过去了两个月，我以为他早忘了凤霞的事，到了上学这一天，他又这么叫了。这次我没有发火，好言好语告诉他，凤霞就是为了他上学才送给别人的，他只有好好念书才对得起姐姐。有庆倔劲上来了，他抬起脑袋冲我说：

"我就是不上学。"

我说："你屁股又痒啦？"

他干脆一转身，脚使劲往地上蹬着走进了里屋，进了屋后喊：

"你打死我，我也不上学。"

我想这孩子是要我揍他，就提着扫帚进去。家珍拉住我，低声说：

"你轻点，吓唬吓唬就行了，别真的揍他。"

我一进屋，有庆已经卧在床上了，裤子褪到大腿一面，露着两片小屁股，他是在等我去揍他。他这样子反倒让我下不了手，我就先用话吓唬他：

"现在说上学还来得及。"

他尖声喊：

"我要姐姐。"

我朝他屁股上揍了一下。他抱着脑袋说：

"不疼。"

我又揍了一下。他还是说：

"不疼。"

这孩子是逼我使劲揍他，真把我气坏了。我就使劲往他屁股上揍，这下他受不了，哇哇地哭，我也不管，还是使劲揍。有庆总还小，过了一会，他实在疼得挺不住，求我了：

"爹，别打了，我上学。"

有庆是个好孩子。他上学第一天中午回来后，一看到我就哆嗦一下，我还以为他是早晨被我打怕了，就亲热地问他学校好不好，他低着头轻轻嗯了一下，吃饭的时候，他老是抬起头来看看我，一副害怕的样子，让我心里很不是滋味，想想早晨我出手也太重了。到饭快吃完的时候，有庆叫了我一声：

"爹。"

他说:"老师要我自己来告诉你们,老师批评我了,说我坐在凳子上动来动去,不好好念书。"

我一听火就上来了,凤霞都送给了别人,他还不好好念书。我把碗往桌上一拍,他先哭了,哭着对我说:

"爹,你别打我。我是屁股疼得坐不下去。"

我赶紧把他裤子剥下来一看,有庆的屁股上青一块紫一块,那是早晨揍的,这样怎么让他在凳子上坐下去。看着儿子那副哆嗦的样子,我鼻子一酸,眼睛也湿了。

凤霞让别人领去才几个月,她就跑了回来。凤霞回来时夜深了,我和家珍在床上,听到有人在外面敲门,先是很轻地敲了一下,过了一会又敲了两下。我想是谁呀,这么晚了。爬起来去开门,一开门看到是凤霞,都忘了她听不到,赶紧叫:

"凤霞,快进来。"

我这么一叫,家珍一下子从床上下来,没穿鞋就往门口跑。我把凤霞拉进来,家珍一把将她抱过去呜呜地哭了。我推推她,让她别这样。

凤霞的头发和衣服都被露水沾湿了,我们把她拉到床上坐下,她一只手扯住我的袖管,一只手拉住家珍的衣服,身体一抖一抖哭得都哽住了。家珍想去拿条毛巾给她擦擦头发,她拉住家珍的衣服就是不肯松开,家珍只得用手去替她擦头发。过了很久,她才止住哭，抓住我们的手也松开了。我把她两只手拿起来看了又看，想看看那户人家是不是让凤霞做牛做马地干活，看了很久也看不出个究竟来，凤霞手上厚厚的茧在家里就有了。我又看她的脸，脸上也没有什么伤痕，这才稍稍有些放心。

凤霞头发干了后，家珍替她脱了衣服，让她和有庆睡一头。凤霞躺下后，睁眼看着睡着的有庆好一会，偷偷笑了一下，才把眼睛闭上。有庆翻了个身，把手搁在凤霞嘴上，像是打他姐姐巴掌似的。凤霞睡着后像只小猫，又乖又安静，一动不动。

有庆早晨醒来一看到他姐姐，使劲搓眼睛，搓完眼睛看看还是凤霞，衣服不穿就从床上跳下来，张着个嘴一声声喊：

"姐姐，姐姐。"

这孩子一早晨嘻嘻笑个不停。家珍让他快点吃饭，还要上学去。他就笑不出来了，偷偷看了我一眼，低声问家珍：

"今天不上学好吗？"

我说："不行。"

他不敢再说什么，当他背着书包出门时狠狠蹬了几脚，随即怕我发火，飞快地跑了起来。有庆走后，我让家珍拿身干净衣服出来，准备送凤霞回去，一转身看到凤霞提着篮子和镰刀站在门口等着我了，凤霞哀求地看着我，叫我实在不忍心送她回去，我看看家珍，家珍看着我的眼睛也像是在求我。我对她说：

"让凤霞再待一天吧。"

我是吃过晚饭送凤霞回去的，凤霞没有哭，她可怜巴巴地看看她娘，看看她弟弟，拉着我的袖管跟我走了。有庆在后面又哭又闹，反正凤霞听不到，我没理睬他。

那一路走得真是叫我心里难受，我不让自己去看凤霞，一直往前走，走着走着天黑了，风飕飕地吹在我脸上，又灌到脖子里去。凤霞双手捏住我的袖管，一点声音也没有。天黑后，路上的石子绊着凤霞，走上一段凤霞的身体就摇一下，我蹲下去把她两只脚揉一揉，凤霞两只小手搁在我脖子上，她的手很冷，一动不动。后面的路是我背着凤霞走去，到了城里，看看离那户人家近了，我就在路灯下把凤霞放下来，把她看了又看，凤霞是个好孩子，到了那时候也没哭，只是睁大眼睛看我，我伸手去摸她的脸，她也伸过手来摸我的脸。她的手在我脸上一摸，我再也不愿意送她回到那户人家去了，背起凤霞就往回走。凤霞的小胳膊勾住我的脖子，走了一段她突然紧紧抱住了我，她知道我是带她回家了。

回到家里，家珍看到我们怔住了，我说：

"就是全家都饿死，也不送凤霞回去。"

家珍轻轻地笑了，笑着笑着眼泪掉了出来。

有庆念了两年书，到了十岁光景，家里日子算是好过一些了，那时凤霞也跟着我们一起下地干活，凤霞已经能自己养活自己了。家里还养了两头羊，全靠有庆割草去喂它们。每天蒙蒙亮时，家珍就把有庆叫醒，这孩子把镰刀扔在篮子里，一只手提着，一只手搓着眼睛跌跌撞撞走出屋门去割草，那样子怪可怜的，孩子在这个年纪是最睡不醒的，可有什么办法呢？没有有庆去割草，两头羊就得饿死。到了有庆提着一篮草回来，上学也快迟到了，急忙往嘴里塞一碗饭，边嚼边往城里跑。中午跑回家又得割草，喂了羊再自己吃饭，上学自然又来不及了。有庆十来岁的时候，一天两次来去就得跑五十多里路。

有庆这么跑，鞋当然坏得快。家珍是城里有钱人家出身，觉得有庆是上学的孩子了，不能再光着脚丫，给他做了一双布鞋。我倒觉得上学只要把书念好就行，穿不穿鞋有什么关系。有庆穿上新鞋才两个月，我看到家珍又在纳鞋底，问她是给谁做鞋，她说是给有庆。

田里的活已经把家珍累得说话都没力气了，有庆非得把他娘累死。我把有庆穿了两个月的鞋拿起来一看，这哪还是鞋，鞋底磨穿了不说，一只鞋连鞋帮都掉了。等有庆提着满满一篮草回来时，我把鞋扔过去，揪住他的耳朵让他看看：

"你这是穿的，还是啃的？"

有庆摸着被揪疼的耳朵，咧了咧嘴，想哭又不敢哭。我警告他：

"你再这样穿鞋，我就把你的脚砍掉。"

其实是我没道理，家里的两头羊全靠有庆喂它们，这孩子在家干这么重的活，耽误了上学时间总是跑着去，中午放学想早点回来割草，又跑着回来。不说羊粪肥田这事，就是每年剪了羊毛去卖了的钱，也不知道能给有庆做多少双鞋。我这么一说以后，有庆上学就光脚丫跑去，到了学校再穿上鞋。有一次都下雪了，他还是光着脚丫在雪地里吧嗒吧嗒往学校跑，让我这个做爹的看得好心疼，我叫住他：

"你手里拿着什么？"

这孩子站在雪地里看着手里的鞋，可能是糊涂了，都不知道说什么。我说：

"那是鞋，不是手套，你给我穿上。"

他这才穿上了鞋，缩着脑袋等我下面的话。我向他挥挥手：

"你走吧。"

有庆转身往城里跑，跑了没多远，我看到他又脱下了鞋。这孩子让我一点办法都没有。

到了一九五八年，人民公社成立了。我家那五亩地全划到了人民公社名下，只留下屋前一小块自留地。村长也不叫村长了，改叫队长。队长每天早晨站在村口的榆树下吹口哨，村里男男女女都扛着家伙到村口去集合，就跟当兵一样，队长将一天的活派下来，大伙就分头去干。村里人都觉得新鲜，排着队下地干活，嘻嘻哈哈地看着别人的样子笑，我和家珍、凤霞排着队走去还算整齐，有些人家老的老小的小，中间有个老太太还扭着小脚，排出来的队伍难看死了，连队长看了都说：

"你们这一家啊，横看竖看还是不好看。"

家里五亩田归了人民公社，家珍心里自然舍不得，过去的十来年，我们一家全靠这五亩田养活，眼睛一眨，这五亩田成了大伙的了，家珍常说：

"往后要是再分田，我还是要那五亩。"

谁知没多少日子，连家里的锅都归了人民公社，说是要煮钢铁。那天队长带着几个人挨家挨户来砸锅，到了我家，笑嘻嘻地对我说：

"福贵，是你自己拿出来呢，还是我们进去砸？"

我心想反正每家的锅都得砸，我家怎么也逃不了，就说：

"自己拿，我自己拿。"

我将锅拿出来放在地上，两个年轻人挥起锄头就砸，才那么三五下，好端端的一口锅就被砸烂了。家珍站在一旁看着心疼得都掉出了眼泪，家珍对队长说：

"这锅砸了往后吃什么？"

"吃食堂。"队长挥着手说，"村里办了食堂，砸了锅谁都用不着在家做饭啦，省出力气往共产主义跑，饿了只要抬抬腿往食堂门槛里放，鱼啊肉啊撑死你们。"

村里办起了食堂，家中的米盐柴什么的也全被村里没收了，最可惜的是那两头羊，有庆把它们养得肥肥壮壮的，也要充公。那天上午，我们一家扛着米、端着盐往食堂送时，有庆牵着两头羊，低着脑袋往晒场去。他心里是一百个不愿意，那两头羊可是他一手喂大的，他天天跑着去学校，又跑着回来，都是为家里的羊。

他把羊牵到晒场上，村里别的人家也把牛羊牵到了那里，交给饲养员王喜。别人虽说心里舍不得，交给王喜后也都走开了，只有有庆还在那里站着，咬着嘴唇一动不动，末了可怜巴巴地问王喜：

"我每天都能来抱抱它们吗？"

村里食堂一开张，吃饭时可就好看了，每户人家派两个人去领饭菜，排出长长一队，看上去就跟我当初被俘虏后排队领馒头一样。每家都是让女人去，叽叽喳喳声音响得就和晒稻谷时麻雀一群群飞来似的。队长说得没错，有了食堂确实省事，饿了只要排个队就有吃有喝了。那饭菜敞开吃，能吃多少就吃多少，天天都有肉吃。最初的几天，队长端着个饭碗嘻嘻笑着挨家串门，问大伙：

"省事了吧？这人民公社好不好？"

大伙也高兴，都说好。队长就说：

"这日子过得比当二流子还舒坦。"

家珍也高兴，每回和凤霞端着饭菜回来时就会说：

"又吃肉啦。"

家珍把饭菜往桌上一放，就出门去喊有庆。有庆有庆地喊上一阵子，才看见他提着满满一篮草在田埂上横着跑过去。这孩子是给两头羊送草去。村里三头牛和二十多头羊全被关在一个棚里，那群牲畜一归了人民公社，就倒霉了，常常挨饿，有庆一进去就会围上来。有庆就对着它们叫：

"喂喂，你们在哪里？"

他的两头羊在羊堆里拱出来，有庆才会把草倒在地上，还得使劲把别的羊推开，一直侍候自己的羊吃完，有庆这才呼哧呼哧满头是汗地跑回家来，上学也快迟到了，这孩子跟喝水似的把饭吃下去，抓起书包就跑。

看着他还是每天这么跑来跑去，我心里那个气，嘴上又不好说，说出来怕别人听到了会说我落后。有一次我实在忍不住了，就说：

"别人拉屎你擦什么屁股？"

有庆听了这话，没明白过来，看了我一会后扑哧笑了，气得我差点没给他一巴掌，我说：

"这羊早归了公社，关你屁事。"

有庆每天三次给羊送草去，到了天快黑的时候，他还要去一次抱抱那两头羊。管牲畜的王喜见他这么喜欢自己的羊，就说：

"有庆，你今晚就领回家去吧，明天一早送回来就是了。"

有庆知道我不会让他这么干，摇摇头对王喜说：

"我爹要骂我的，我就这么抱一抱吧。"

日子一长，棚里的羊也就越少，过几天就要宰一头。到后来只有有庆一个人送草去了。王喜见了我常说：

"就有庆还天天惦记着它们，别人是要吃肉了才会想到它们。"

村里食堂开张后两天，队长让两个年轻人进城去买煮钢铁的锅，那些砸烂的锅和铁皮什么的都堆在晒场上，队长指着它们说：

"得赶紧把它们给煮了，不能老让它们闲着。"

两个年轻人拿着草绳和扁担进城去后，队长陪着城里请来的风水先生在村里转悠开了，说是要找一块风水宝地煮钢铁。穿长衫的风水先生笑眯眯地走来走去，走到一户人家跟前，那户人家就得倒吸一口冷气，这弓着背的老先生只要一点头，那户人家的屋子就完蛋了。

队长陪着风水先生来到了我家门口，我站在门前心里咚咚地打鼓。队长说：

"福贵，这位是王先生，到你这儿来看看。"

"好，好。"我连连点着头。

风水先生双手背在身后，前后左右看了一会，嘴里说：

"好地方，好风水。"

我听了这话眼睛一黑，心想这下完蛋了。好在这时家珍走了出来，家珍看到是她认识的王先生，就叫了一声。王先生说：

"是家珍啊。"

家珍笑着说："进屋喝碗茶吧。"

王先生摆了摆手，说道："改日再喝，改日再喝。"

家珍说："听我爹说你这些日子忙坏了？"

"忙，忙。"王先生点着头说，"请我看风水的都排着队呢。"

说着王先生看看我，问家珍：

"这位就是？"

家珍说："是福贵。"

王先生眼睛笑得眯成了一条缝，点着头说：

"我知道，我知道。"

看着王先生这副模样，我知道他是想起我从前赌光家产的事。我就对王先生嘿嘿笑了。王先生向我们双手抱拳说：

"改日再聊。"

说过他转身对队长说：

"到别处去看看。"

队长和风水先生一走，我才彻底松了一口气，我这间茅屋算是没事了，可村里老孙家倒大霉了，风水先生看中了他家的屋子。队长让他家把屋子腾出来，老孙头呜呜地哭，蹲在屋角就是不肯搬，队长对他说：

"哭什么，人民公社给你盖新屋。"

老孙头双手抱着脑袋，还是哭，什么话都不说。到了傍晚，队长看看没有别的法子了，就叫上村里几个年轻人，把老孙头从屋里拉出来，将里面的东西也搬到外面。老孙头被拉出来后，双手抱住了一棵树，怎么也不肯松手，拉他的两个年轻人看看队长说：

"队长，拉不动啦。"

队长扭头看了看，说：

"行啦，你们两个过来点火。"

那两个年轻人拿着火柴，站到凳子上，对着屋顶的茅草划燃了火柴。屋顶的茅草本来就发霉了，加上头天又下了一场雨，他们怎么也烧不起来。队长说：

"他娘的，我就不信人民公社的火还烧不掉这破屋子。"

说着队长卷了卷袖管准备自己动手。有人说：

"浇上油，一点就燃。"

队长一想后说："对啊，他娘的，我怎么没想到，快去食堂取油。"

原先我只觉得自己是个败家子，想不到我们队长也是个败家子。我啊，就站在不到百步远的地方，看着队长他们把好端端的油倒在茅草上，那油可都是从我们嘴里挖出来的，被他们一把火烧没了。那茅草浇上了我们吃的油，火苗子呼呼地往上蹿，黑烟在屋顶滚来滚去。我看到老孙头还是抱着那棵树，他是眼睁睁看着自己的窝没了。老孙头可怜，等到屋顶烧成了灰，四面土墙也烧黑了，他才抹着眼泪走开，村里人听到他说：

"锅砸了，屋子烧了，看来我也得死了。"

那晚上我和家珍都睡不踏实，要不是家珍认识城里看风水的王先生，我这一家人都不知道要到哪里去了。想来想去这都是命，只是苦了老孙头，家珍总觉得这灾祸是我们推到他身上去的，我想想也是这样。我嘴上不这么说，我说：

"是灾祸找到他，不能说是我们推给他的。"

煮钢铁的地方算是腾出来了，去城里买锅的也回来了。他们买了一只汽油桶回来，村里很多人以前没见过汽油桶，看着都很稀奇，问这是什么玩意，我以前打仗时见过，就对他们说：

"这是汽油桶，是汽车吃饭用的饭碗。"

队长用脚踢踢汽车的饭碗，说：

"太小啦。"

买来的人说："没有更大的了，只能一锅一锅煮了。"

队长是个喜欢听道理的人，不管谁说什么，他只要听着有理就相信。他说：

"也对，一口吃不成个大胖子，就一锅一锅煮吧。"

有庆这孩子看到我们很多人围着汽油桶，提着满满一篮草不往羊棚送，先挤到我们这儿来了。他的脑袋从我腰里一擦一磨地钻出来，我想是谁呀，低头一看是自己儿子。有庆对着队长喊：

"煮钢铁桶里要放上水。"

大伙听了都笑。队长说：

"放上水？你小子是想煮肉吧。"

有庆听了这话也嘻嘻笑，他说：

"要不钢铁没煮成，桶底就先煮烂啦。"

谁知队长听了这话，眉毛往上一吊，看着我说：

"福贵，这小子说得还真对。你家出了个科学家。"

队长夸奖有庆，我心里当然高兴，其实有庆是出了个馊主意。汽油桶在原先老孙头家架了起来，将砸烂的锅和铁皮什么的扔了进去，里面还真的放上了水，桶顶盖一个木盖，就这样煮起了钢铁。

里面的水一开，那木盖就扑扑地跳，水蒸气呼呼地往外冲，这煮钢铁跟煮肉还真是差不多。

队长每天都要去看几次，每次揭开木盖时，里面发大水似的冲出来蒸气都吓得他跳开好几步，嘴里喊着：

"烫死我啦。"

等到水蒸气少了一些，他就拿着根扁担伸到桶里敲了敲，敲完后骂道：

"他娘的，还硬邦邦的。"

村里煮钢铁那阵子，家珍病了。家珍得了没力气的病，起先我还以为她是年纪大了才这样的。那天村里挑羊粪去肥田，那时候田里插满了竹竿，原先竹竿上都是纸做的小红旗，几场雨一下，红旗全没了，只在竹竿上沾了些红纸屑。家珍也挑着羊粪，她走着走着腿一软坐在了地上。村里人见了都笑，说是：

"福贵夜里干狠了。"

家珍自己也笑了，她站起来试着再挑，那两条腿就哆嗦，抖得裤子像是被风吹的那样乱动起来。我想她是累了，就说：

"你歇一会吧。"

刚说完，家珍又坐到了地上，担子里的羊粪泼出来盖住了她的腿。家珍的脸一下子红了，她对我说：

"我也不知道是怎么了。"

我以为家珍只要睡上一觉，第二天就会有力气的。谁想到以后的几天家珍再也挑不动担子了，她只能干些田里的轻活。好在那时是人民公社，要不这日子又难熬了。家珍得了病，心里自然难受，到了夜里她常偷偷问我：

"福贵，我会拖累你们吗？"

我说："你别想这事了，年纪大了都这样。"

到那时我还没怎么把家珍的病放在心上，我心想家珍自从嫁给我以后，就没过上好日子，现在年纪大了，也该让她歇一歇了。谁知过了一个来月，家珍的病一下子重了，那晚上我们一家守着那汽油桶煮钢铁，家珍病倒了，我才吓一跳，才想到要送家珍去城里医院看看。

那时候钢铁煮了有两个多月了，还是硬邦邦的，队长觉得不能让村里最强壮的几个劳动力整日整夜地守着汽油桶，他说：

"往后就挨家挨户轮了。"

轮到我家时，队长对我说：

"福贵，明天就是国庆节了，把火烧得旺些，怎么也得给我把钢铁煮出来。"

我让家珍和凤霞早早地去食堂守着，好早些把饭菜打回来，吃完了去接替人家，我怕去晚了人家会说闲话。可是家珍和凤霞打了饭菜回来，左等右等不见有庆回来，家珍站在门前喊得额头都出汗了，我知道这孩子准是割了草送到羊棚去了。我对家珍说：

"你们先吃。"

说完我出门就往村里羊棚去，心想这孩子太不懂事了，不帮着家珍干些家里的活，整天就知道割羊草，胳膊一个劲地往外拐。我走到羊棚前，看到有庆正把草倒在地上，棚里只有六头羊了，全挤上来抢着吃草，有庆提着篮子问王喜：

　　"他们会宰我的羊吗？"

　　王喜说："不会了，把羊吃光了，上哪儿去找肥料，没有了肥料田里的庄稼就长不好。"

　　王喜看到我走进去，对有庆说：

　　"你爹来了，你快回去吧。"

　　有庆转过身来，我伸手拍拍他的脑袋，这孩子刚才问王喜时的可怜腔调，让我有火发不出。我们往家里走去，有庆看到我没发火，高兴地对我说：

　　"他们不会宰我的羊了。"

　　我说："宰了才好。"

　　到了晚上，我们一家就守着汽油桶煮钢铁了，我负责往桶里加水，凤霞拿一把扇子扇火，家珍和有庆捡树枝。直干到半夜，村里所有人家都睡了，我都加了三次水，拿一根树枝往里捅了捅，还是硬邦邦的。家珍累得满脸是汗，她弯腰放下树枝时都跪在了地上。我盖上木盖对她说：

　　"你怕是病了。"

　　家珍说："我没病，只是觉得身体软。"

那时候有庆靠着一棵树像是睡着了，凤霞两只手换来换去地扇着风，她是胳膊疼了。我去推推她，她以为我要替她，转过脸来直摇头，我就指指有庆，要她把有庆抱回家去，她这才点着头站起来。村里羊棚里传来咩咩的叫声，睡的有庆听到这声音咯咯地笑了，当凤霞要去抱他时，他突然睁开眼睛说：

　　"是我的羊在叫。"

　　我还以为他睡着了，看到他睁开眼睛，又说是他的羊什么的，我火了，对他说：

　　"是人民公社的羊，不是你的。"

　　这孩子吓一跳，瞌睡全没了，眼睛定定地看着我。家珍推推我，说我：

　　"你别吓唬他。"

　　说着蹲下去对有庆轻声说：

　　"有庆，你睡吧，睡吧。"

　　这孩子看看家珍，点点头闭上了眼睛，没一会工夫就呼呼地睡去了。我把有庆抱起来，放到凤霞背脊上，打着手势告诉凤霞，让她和有庆回家去睡觉，别来了。

　　凤霞背着有庆走后，我和家珍坐在了火前，那时天很凉，坐在火前暖和，家珍累得一点力气都没了，胳膊抬起来都费劲，我就让家珍靠着我，说：

　　"你就闭上眼睛睡一会吧。"

家珍的脑袋往我肩膀上一靠，我的瞌睡也来了，脑袋老往下掉，我使劲挺一会，不知不觉又掉了下去。我最后一次往火里加了树枝后，脑袋掉下去就没再抬起来。

我不知道自己睡了有多久，后来轰的一声巨响，把我吓得从地上一下子坐起来。那时候天都快亮了，我看到汽油桶已经倒在了地上，火像水一样流成一片在烧，我身上盖着家珍的衣服，我立刻跳起来，围着汽油桶跑了两圈，没见到家珍，我吓坏了，吼着嗓子叫：

"家珍，家珍。"

我听到家珍在池塘那边轻声答应，我跑过去看到家珍坐在地上，正使劲想站起来，我把她扶起来时，发现她身上的衣服都湿透了。

我睡着以后，家珍一直没睡，不停地往火上加树枝，后来桶里的水快煮干了，她就拿着木桶去池塘打水，她身上没力气，拿着个空桶都累，别说是满满一桶水了，她提起来才走了五六步就倒在地上，她坐在地上歇了一会，又去打了一桶水，这回她走一步歇一下，可刚刚走上池塘人又滑倒了，前后两桶水全泼在她身上，她坐在地上没力气起来了，一直等到我被那声巨响吓醒。

看到家珍没伤着，我悬着的心放下了，我把家珍扶到汽油桶前，还有一点火在烧，我一看是桶底煮烂了，心想这下糟了。家珍一看这情形，也傻了，她一个劲地埋怨自己：

"都怪我，都怪我。"

我说："是我不好，我不该睡着。"

我想着还是快些去报告队长吧，就把家珍扶到那棵树下，让她靠着树坐下。自己往我家从前的宅院，后来是龙二、现在是队长的屋子跑去，跑到队长屋前，我使劲喊：

"队长，队长。"

队长在里面答应："谁呀？"

我说："是我，福贵，桶底煮烂啦。"

队长问："是钢铁煮成啦？"

我说："没煮成。"

队长骂道："那你叫个屁。"

我不敢再叫了，在那里站着不知道该怎么办，那时候天都亮了，我想了想还是先送家珍去城里医院吧，家珍的病看样子不轻，这桶底煮烂的事待我从医院回来再去向队长作个交代。我先回家把凤霞叫醒，让她也去，家珍是走不动了，我年纪大了，背着家珍来去走二十多里路看来不行，只能和凤霞轮流着背她。

我背起家珍往城里走，凤霞走在一旁，家珍在我背上说：

"我没病，福贵，我没病。"

我知道她是舍不得花钱治病，我说：

"有没有病，到医院一看就知道了。"

家珍不愿意去医院，一路上嘟嘟哝哝的。走了一段，我没力气了，就让凤霞替我。凤霞力气比我都大，背着她娘走起路来咚咚响。家珍到了凤霞背脊上，不再嘟哝什么，突然笑起来，宽慰地说：

"凤霞长大了。"

家珍说完这话眼睛一红，又说：

"凤霞要是不得那场病就好了。"

我说："都多少年的事了，还提它干什么。"

城里医生说家珍得了软骨病，说这种病谁也治不了，让我们把家珍背回家，能给她吃得好一点就吃得好一点，家珍的病可能会越来越重，也可能就这样了。回来的路上是凤霞背着家珍，我走在边上心里是七上八下，家珍得了谁也治不了的病，我是越想越怕，这辈子这么快就到了这里，看着家珍瘦得都没肉的脸，我想她嫁给我后没过上一天好日子。

家珍反倒有些高兴，她在凤霞背上说：

"治不了才好，哪有钱治病。"

快到村口时，家珍说她好些了，要下来自己走，她说：

"别吓着有庆了。"

她是担心有庆看到她这副模样会害怕，做娘的心里就是想得细。她从凤霞背上下来，我们去扶她，她说自己能走，说：

"其实也没什么病。"

这时村里传来了锣鼓声，队长带着一队人从村口走出来，队长看到我们后高兴地挥着手喊道：

"福贵，你们家立大功啦。"

我是丈二和尚摸不着头脑，不知道立了什么大功，等他们走近了，我看到两个村里的年轻人抬着一块乱七八糟的铁，上面还翘着半个锅的形状，和几片耷出来的铁片，一块红布挂在上面。队长指指这烂铁说：

"你家把钢铁煮出来啦，赶上这国庆节的好时候，我们上县里去报喜。"

一听这话我傻了，我还正担心着桶底煮烂了怎么去向队长交代，谁想到钢铁竟然煮出来了。队长拍拍我的肩膀说：

"这钢铁能造三颗炮弹，全部打到台湾去，一颗打在蒋介石床上，一颗打在蒋介石吃饭的桌上，一颗打在蒋介石家的羊棚里。"

说完队长手一挥，十来个敲锣打鼓的人使劲敲打起来，他们走过去后，队长在锣鼓声里回过头来喊道：

"福贵，今天食堂吃包子，每个包子都包进了一头羊，全是肉。"

他们走远后，我问家珍：

"这钢铁真的煮成了？"

家珍摇摇头，她也不知道是怎么煮成的。我想着肯定是桶底煮烂时，钢铁煮成的。要不是有庆出了个馊主意，往桶里放水，这钢铁早就能煮成了。等我们回到家里时，有庆站在屋前哭得肩膀一抖一抖，他说：

"他们把我的羊宰了，两头羊全宰了。"

有庆伤心了好几天，这孩子每天早晨起来后，用不着跑着去学校了。我看着他在屋前游来荡去，不知道该干什么，往常这个时候他都是提着个篮子去割草了。家珍叫他吃饭，叫一声他就进来坐到桌前，吃完饭背起书包绕到村里羊棚那里看看，然后无精打采地往城里学校去了。

村里的羊全宰了吃光了，那三头牛因为要犁田才保住性命，粮食也快吃光了。队长说到公社去要点吃的来，每次去都带了十来个年轻人，扛着十来根扁担，那样子像是要去扛一座金山回来，可每次回来仍然是十来个人十来根扁担，一粒米都没拿到。队长最后一次回来后说：

"从明天起食堂散伙了，大伙赶紧进城去买锅，还跟过去一样，各家吃各家自己的。"

当初砸锅凭队长一句话，买锅了也是凭队长一句话。食堂把剩下的粮食按人头分到各家，我家分到的只够吃三天。好在田里的稻子再过一个月就收起来了，怎么熬也能熬过这一个月。

村里人下地干活开始记工分了，我算是一个壮劳力，给我算十分，家珍要是不病，能算她八分，她一病只能干些轻活，也就只好算四分了。好在凤霞长大了，凤霞在女人里面算是力气大的，她每天能挣七个工分。

家珍心里难受，她挣的工分少了一半，想不开，她总觉得自己还能干重活，几次都去对队长说，说她也知道自己有病，可现在还能干重活。她说：

"等我真干不动了再给我记四分吧。"

队长一想也对，就对她说：

"那你去割稻子吧。"

家珍拿着把镰刀下到稻田里，刚开始割得还真快，我看着心想是不是医生弄错了。可割了一道，她身体就有些摇晃了，割第二道时慢了许多。我走过去问她：

"你行吗？"

她那时满脸是汗，直起腰来还埋怨我：

"你干你的，过来干什么？"

她是怕我这么一过去，别人都注意她了，我说：

"你自己留意着身体。"

她急了，说："你快走开。"

我摇摇头，只好走开。我走开后没过多久，听到那边扑通一声，我心想不好，抬头一看家珍摔在地上了。我走到跟前，家珍虽说站了起来，可两条腿直哆嗦，她摔下去时头碰着了镰刀，额头都破了，血在那里流出来。她苦笑着看我，我一句话不说，背起她就往家里去，家珍也不反抗，走了一段，家珍哭了，她说：

"福贵，我还能养活自己吗？"

"能。"我说。

以后家珍也就死心了，虽然她心疼丢掉的那四个工分，想着还能养活自己，家珍多少还是能常常宽慰自己。

家珍病后，凤霞更累了，田里的活一点没少干，家里的活她也得多干，好在凤霞年纪轻，一天累到晚，睡上一觉就又有力气有精神了。有庆开始帮着干些自留地上的活，有天傍晚我收工回家，在自留地锄草的有庆叫了我一声，我走过去，这孩子手摸着锄头柄，低着头说：

"我学会了很多字。"

我说："好啊。"

他抬头看了我一眼，又说：

"这些字够我用一辈子了。"

我想这孩子口气真大，也没在意他是什么意思，我随口说：

"你还得好好学。"

他这才说出真话来，他说：

"我不想念书了。"

我一听脸就沉下了，说：

"不行。"

其实让有庆退学，我也是想过的，我打消这个念头是为了家珍，有庆不念书，家珍会觉得是自己病拖累他的。我对有庆说：

"你不好好念书，我就宰了你。"

说过这话后，我有些后悔，有庆还不是为了家里才不想念书的，这孩子十二岁就这么懂事了，让我又高兴又难受，想想以后再不能随便打骂他了。这天我进城卖柴，卖完了我花五分钱给有庆买了五颗糖，这是我这个做爹的第一次给儿子买东西，我觉得该疼爱疼爱有庆了。

我挑着空担子走进学校，学校里只有两排房子，孩子在里面咿呀咿呀地念书，我挨个教室去看有庆。有庆在最边上的教室，一个女老师站在黑板前讲些什么，我站在一个窗口看到了有庆，一看到有庆我气就上来了，这孩子不好好念书，正用什么东西往前面一个孩子头上扔。为了他念书，凤霞都送给过别人，家珍病成这样也没让他退学，他嘻嘻哈哈跑到课堂上来玩了。当时我气得什么都顾不上了，把担子一放，冲进教室对准有庆的脸就是一巴掌。有庆挨了一巴掌才看到我，他吓得脸都白了，我说：

"你气死我啦。"

我大声一吼，有庆的身体就哆嗦一下，我又给他一巴掌，有庆缩着身体完全吓傻了。这时那个女老师走过来气冲冲问我：

"你是什么人？这是学校，不是乡下。"

我说："我是他爹。"

我正在气头上，嗓门很大。那个女老师火也跟着上来，她尖着嗓子说：

"你出去，你哪像是爹，我看你像法西斯，像国民党。"

法西斯我不知道，国民党我就知道了。我知道她是在骂我，难怪有庆不好好念书，他摊上了一个骂人的老师。我说：

"你才是国民党，我见过国民党，就像你这么骂人。"

那个女老师嘴巴张了张，没说话倒哭上了。旁边教室的老师过来把我拉了出去，他们在外面将我围住，几张嘴同时对我说话，我是一句都没听清。后来又过来一个女老师，我听到他们叫她校长，校长问我为什么打有庆，我一五一十地把凤霞过去送人，家珍病后没让有庆退学的事全说了，那位女校长听后对别的老师说：

"让他回去吧。"

我挑着担子走时，看到所有教室的窗口都挤满了小脑袋，在看我的热闹。这下我可把自己儿子得罪了，有庆最伤心的不是我揍他，是当着那么多老师和同学出丑。我回到家里气还没消，把这事跟家珍说，家珍听完后埋怨我，她说：

"你呀，你这样让有庆在学校里怎么做人。"

我听后想了想，觉得自己确实有些过分，丢了自己的脸不说，还丢了我儿子的脸。这天中午有庆放学回家，我叫了他一声，他理都不理我，放下书包就往外走，家珍叫了他一声，他就站住了，家珍让他走过去。有庆走到他娘身边，脖子就一抽一抽了，哭得那个伤心啊。

后来的一个多月里，有庆死活不理我，我让他干什么他马上干什么，就是不和我说话。这孩子也不做错事，让我发脾气都找不到地方。

想想也是自己过分，我儿子的心叫我给伤透了。好在有庆还小，又过了一阵子，他在屋里进出脖子没那么直了。虽然我和他说话，他还是没答理，脸上的模样我还是看得出来的，他不那么记仇了，有时还偷偷看我。我知道他，那么久不和我说话，是不好意思突然开口。我呢，也不急，是我的儿子总是要开口叫我的。

食堂散伙以后，村里人家都没了家底，日子越过越苦，我想着把家里最后的积蓄拿出来，去买一头羊羔。羊是最养人的，能肥田，到了春天剪了羊毛还能卖钱。再说也是为了有庆，要是给这孩子买一头羊羔回来，他不知道会有多高兴。

我跟家珍一商量，家珍也高兴，说：

"你快去买吧。"

当天下午，我将钱揣在怀里就进城去了。我在城西广福桥那边买了一头小羊，回来时路过有庆他们的学校，我本想进去让有庆高兴高兴，再一想还是别进去了，上次在学校出丑，让我儿子丢脸，我再去，有庆心里肯定不高兴。

等我牵着小羊出了城，走到都快能看到自己家的地方，后面有人噼噼啪啪地跑来，我还没回头去看是谁，有庆就在后面叫上了：

"爹，爹。"

我站住脚，看着有庆满脸通红地跑来，这孩子一看到我牵着羊，早就忘了他不和我说话这事，他跑到我跟前喘着气说：

"爹，这羊是给我买的？"

我笑着点点头，把绳子递给他说：

"拿着。"

有庆接过绳子，把小羊抱起来走了几步，又放下小羊，捏住羊的后腿，蹲下去看看，看完后说：

"爹，是母羊。"

我哈哈地笑了，伸手捏住他的肩膀，有庆的肩膀又瘦又小，我一捏住不知为何就心疼起来。我们一起往家里走去时，我说道：

"有庆，你也慢慢长大了，爹以后不会再揍你了，就是揍你也不会让别人看到。"

说完我低头看看有庆，这孩子脑袋歪着，听了我的话，反倒不好意思了。

家里有了羊，有庆每天又要跑着去学校了，除了给羊割草，自留地里的活他也要多干。没想到有庆这么跑来跑去，到头来还跑出名堂来了。城里学校开运动会那天，我进城去卖菜，卖完了正要回家，看到街旁站着很多人，一打听知道是那些学生在比赛跑步，要在城里跑上十圈。

当时城里有中学了，那一年有庆也读到了四年级。城里是第一次开运动会，念初中的孩子和念小学的孩子都一起跑。我把空担子在街旁放下，想看看有庆是不是也在里面跑。过了一会，我看到一伙和有庆差不多大的孩子，一个个摇头晃脑跑过来，有两个低着脑袋跌跌撞撞，看那样子是跑不动了。

他们跑过去后，我才看到有庆，这小家伙光着脚丫，两只鞋拿在手里，呼哧呼哧跑来了，他只有一个人跑来。看到他跑在后面，我想这孩子真是没出息，把我的脸都丢光了。可旁边的人都在为他叫好，我就糊涂了，正糊涂着看到几个初中学生跑了过来，这一来我更糊涂了，心想这跑步是怎么跑的，我问身旁一个人：

"怎么年纪大的跑不过年纪小的？"

那人说："刚才跑过去的小孩把别人都甩掉了几圈了。"

我一听，他不是在说有庆吗？当时那个高兴啊，是说不出来的高兴。就是比有庆大四五岁的孩子，也被有庆甩掉了一圈。我亲眼看着自己的儿子，光着脚丫，鞋子拿在手里，满脸通红第一个跑完了十圈。这孩子跑完以后，反倒不呼哧呼哧喘气了，像是一点事情都没有，抬起一只脚在裤子上擦擦，穿上布鞋后又抬起另一只脚。接着双手背到身后，神气活现地站在那里看着比他大多了的孩子跑来。

我心里高兴，朝他喊了一声：

"有庆。"

挑着空担子走过去时我大模大样，我想让旁人知道我是他爹。有庆一看到我，马上不自在了，赶紧把背在身后的手拿到前面来，我拍拍他的脑袋，大声说：

"好儿子啊，你给爹争气啦。"

有庆听到我嗓门这么大，急忙四处看看，他是不愿意让同学看到我。这时有个大胖子叫他：

"徐有庆。"

有庆一转身就往那里去，这孩子对我就是不亲。他走了几步又回过头来说：

"是老师叫我。"

我知道他是怕我回家后找他算账，就对他挥挥手：

"去吧，去吧。"

那个大胖子手特别大，他按住有庆的脑袋，我就看不到儿子的头，儿子的肩膀上像是长出了一只手掌。他们两个人亲亲热热地走到一家小店前，我看着大胖子给有庆买了一把糖，有庆双手捧着放进口袋，一只手就再没从口袋里出来。走回来时有庆脸都涨红了，那是高兴的。

那天晚上我问他那个大胖子是谁。他说：

"是体育老师。"

我说了他一句："他倒是像你爹。"

有庆把大胖子给他的糖全放在床上，先是分出了三堆，看了又看后，从另两堆里各拿出两颗放进自己这一堆，又看了一会，再从自己这堆拿出两颗放到另两堆里。我知道他要把一堆给凤霞，一堆给家珍，自己留着一堆，就是没有我的。谁知他又把三堆糖弄到一起，分出了四堆，他就这么分来分去，到最后还是只有三堆。

过了几天，有庆把体育老师带到家里来了，大胖子把有庆夸了又夸，说他长大了能当个运动员，出去和外国人比赛跑步。有庆坐在门槛上，兴奋得脸上都出汗了。当着体育老师的面我不好说什么，他走后，我就把有庆叫过来，有庆还以为我会夸他，看着我的眼睛都亮闪闪的，我对他说：

"你给我、给你娘你姐姐争了口气，我很高兴。可我从没听说过跑步也能挣饭吃，送你去学校，是要你好好念书，不是让你去学跑步，跑步还用学？鸡都会跑！"

有庆脑袋马上就垂下了，他走到墙角拿起篮子和镰刀，我问他：

"记住我的话了吗？"

他走到门口，背对着我点点头，就走了出去。

那一年，稻子还没黄的时候，稻穗青青的刚长出来，就下起了没完没了的雨，下了有一个来月，中间虽说天气晴朗过，没出两天又阴了，又下上了雨。我们是看着水在田里积起来，雨水往上涨，稻子就往下垂，到头来一大片一大片的稻子全淹没到了水里。村里上了年纪的人都哭了，都说：

"往后的日子怎么过呀？"

年纪轻一些的人想得开些，总觉得国家会来救济我们的，他们说：

"愁什么呀，天无绝人之路，队长去县里要粮食啦。"

队长去了三次公社，一次县里，他什么都没拿回来，只是带回来几句话：

"大伙放心吧，县长说了，只要他不饿死，大伙也都饿不死。"

那一个月的雨下过去后，连着几天的大热天，田里的稻子全烂了，一到晚上，风吹过来是一片片的臭味，跟死人的味道差不多。原先大伙还指望着稻草能派上用场，这么一来稻子没收起，稻草也全烂光了，什么都没了。队长说县里会给粮食的，可谁也没见到有粮食来，嘴上说说的事让人不敢全信，不信又不敢，要不这日子过下去谁也没信心了。

大伙都数着米下锅，积蓄下来的粮食都不多，谁家也不敢煮米饭，都是熬粥喝，就是粥也是越来越稀。那么过了两三个月，也就坐吃山空了。我和家珍商量着把羊牵到城里卖了，换些米回来，我们琢磨着这羊能换回来百十来斤大米，这样就可以熬到下一季稻子收割的时候。

家里人都有一两个月没怎么吃饱了，那头羊还是肥肥的，每天在羊棚里咩咩叫时声音又大又响，全是有庆的功劳，这孩子吃不饱整天叫着头晕，可从没给羊少割过一次草，他心疼那头羊，就跟家珍心疼他一样。

我和家珍商量以后，就把这话对有庆说了。那时候有庆刚把一篮草倒到羊棚里，羊沙沙地吃着草，那声响像是在下雨，他提着空篮子站在一旁，笑嘻嘻地看着羊吃草。

我走进去他都不知道，我把手放在他肩上，这孩子才扭头看了看我，说：

"它饿坏了。"

我说："有庆，爹有事要跟你说。"

有庆答应一声，把身体转过来。我继续说：

"家里粮食吃得差不多了，我和你娘商量着把羊卖掉，换些米回来，要不一家人都得挨饿了。"

有庆低着脑袋一声不吭，这孩子心里是舍不得这头羊，我拍拍他的肩说：

"等日子好过一些了，我再去买头羊回来。"

有庆点点头，有庆是长大了，他比过去懂事多了。要是早上几年，他准得又哭又闹。我们从羊棚里走出来时，有庆拉了拉我的衣服，可怜巴巴地说：

"爹，你别把它卖给宰羊的好吗？"

我心想这年月谁家还会养着一头羊，不卖给宰羊的，去卖给谁呢？看着有庆那副样子，我也只好点点头。

第二天上午，我将米袋搭在肩上，从羊棚里把羊牵出来，刚走到村口，听到家珍在后面叫我，回过头去看到家珍和有庆走来。家珍说：

"有庆也要去。"

我说："礼拜天学校没课，有庆去干什么？"

家珍说："你就让他去吧。"

我知道有庆是想和羊多待一会，他怕我不答应，让他娘来说。

我心想他要去就让他去吧，就向他招了招手，有庆跑上来接过我手里的绳子，低着脑袋跟着我走去。

这孩子一路上什么话都不说，倒是那头羊咩咩叫唤个不停，有庆牵着它走，它时不时脑袋伸过去撞一下有庆的屁股。羊也是通人性的，它知道是有庆每天去喂它草吃，它和有庆亲热。它越是亲热，有庆心里越是难受，咬着嘴唇都要哭出来了。

看着有庆低着脑袋一个劲地往前走，我心里怪不是滋味的，就找话宽慰他，我说：

"把它卖掉总比宰掉它好。羊啊，是牲畜，生来就是这个命。"

走到了城里，快到一个拐弯的地方时，有庆站住了脚，看看那头羊说：

"爹，我在这里等你。"

我知道他是不愿看到把羊卖掉，就从他手里接过绳子，牵着羊往前走，走了没几步，有庆在后面喊：

"爹，你答应过的。"

我回头问："我答应什么？"

有庆有些急了，他说：

"你答应不卖给宰羊的。"

我早就忘了昨天说过的话，好在有庆不跟着我了，要不这孩子肯定会哭上一阵子。我说：

"知道。"

我牵着羊拐了个弯，朝城里的肉铺子走去。先前挂满肉的铺子里，到了这灾年连个肉屁都看不到了，里面坐着一个人，懒洋洋的样子。我给他送去一头羊，他没显得有多高兴。我们一起给羊上秤时，他的手直哆嗦，他说：

"吃不饱，没力气了。"

连城里人都吃不饱。他说他的铺子有十来天没挂过肉了，他的手往前指了指，指到二十米远的一根电线杆，说：

"你等着吧，不出一个小时，买肉的排队会排到那边。"

他没说错，才等我走开，就有十来个人在那里排队了。米店也排队，我原以为那头羊能换回百十来斤米，结果我只背回家四十斤米。我路过一家小店时，掏出两分钱给有庆买了两颗硬糖，我想有庆辛辛苦苦了一年，也该给他甜甜嘴。

我扛着四十斤大米往回走，有庆在那地方走来走去，踢着一颗小石子。我把两颗糖给他，他一颗放在口袋里，剥开另一颗放进嘴里。我们往前走去，有庆将糖纸叠得整整齐齐拿在手上，然后抬起脑袋问我：

"爹，你吃吗？"

我摇摇头说："你自己吃。"

我把四十斤米扛回家，家珍一看米袋就知道有多少米，她叹息一声，什么话也没说。最难的是家珍，一家四张嘴每天吃什么？愁得她晚上都睡不好觉。日子再苦也得往下熬，她每天提着篮子去挖野菜，身体本来就有病，又天天忍饥挨饿，那病真让医生说中了，越来越重，只能拄着根树枝走路，走上二十来步就要满头大汗。别人家挖野菜都是蹲下去，她是跪到地上，站起来时身体直打晃。我见了心里不好受，对她说：

"你就别出门了。"

她不答应，拄着树枝往屋外走，我抓住她的胳膊一拉，她身体就往地上倒。家珍坐到地上呜呜地哭上了，她说：

"我还没死，你就把我当死人了。"

我是一点办法都没有。女人啊，性子上来了什么事都干，什么话都说。我不让她干活，她就觉得是在嫌弃她。

没出三个月，那四十斤米全吃光了。要不是家珍算计着过日子，掺和着吃些南瓜叶、树皮什么的，这些米不够我们吃半个月。那时候村里谁家都没有粮食了，野菜也挖光了，有些人家开始刨树根吃了。村里人越来越少，每天都有拿着个碗外出去要饭的人。队长去了几次县里，回来时都走不到村口，一屁股坐在地上直喘气，在田里找吃的几个人走上去问他：

"队长，县里什么时候给粮食？"

队长歪着脑袋说："我走不动了。"

看着那些外出要饭的人，队长对他们说：

"你们别走了，城里人也没吃的。"

明知道没有野菜了，家珍还是整天拄着根树枝出去找野菜，有庆跟着她。有庆正在长身体，没有粮食吃，人瘦得像根竹竿。有庆总还是孩子，家珍有病路都走不动了，还是到处转悠着找野菜，有庆跟在后面，老是对家珍说：

"娘，我饿得走不动了。"

家珍上哪儿去给有庆找吃的，只好对他说：

"有庆，你就去喝几口水填填肚子吧。"

有庆也只能到池塘边去咕咚咕咚地喝一肚子水来充饥了。

凤霞跟着我，扛着把锄头去地里掘地瓜。那些田地不知道被翻过多少遍了，可村里的人还都用锄头去掘，有时干一天也只是掘出一根烂瓜藤来。凤霞也饿得慌，脸都青了，看她挥锄头时脑袋都掉下去了。这孩子不会说话，只知道干活。我往哪儿走，她就往哪儿跟，我想想这样不行，我得和凤霞分开去挖地瓜，老凑在一起不是个办法。我就打着手势让凤霞到另一块地里去。谁知道凤霞一和我分开，就出事了。

凤霞和村里王四在一块地里挖地瓜。王四那人其实也不坏，我被抓了壮丁去打仗那阵子，王四和他爹还常帮家珍干些重活。人一饿就什么缺德事都干得出来，明明是凤霞挖到一个地瓜，王四欺负凤霞不会说话，趁凤霞用衣角擦上面的泥时，一把抢了过去。凤霞平常老实得很，到那时她可不干了，扑上去要把地瓜抢回来。王四哇哇一叫，旁边地里的人见了都看到是凤霞在抢。王四对着我喊：

"福贵，做人得讲良心啊，再饿也不能抢别人家的东西。"

我看到凤霞正使劲掰他捏住地瓜的手指，赶紧走过去拉开凤霞，凤霞急得眼泪都出来了，她打着手势告诉我是王四抢了她的地瓜，村里别的人也看明白了，就问王四：

"是你抢她的，还是她抢你的？"

王四做出一副委屈的样子，说：

"你们都看到的，明明是她在抢。"

我说："凤霞不是那种人，村里人都知道。王四，这地瓜真是你的，你就拿走。要不是你的，你吃了也会肚子疼。"

王四用手指指凤霞，说道：

"你让她自己说，是谁的。"

他明知道凤霞不会说话，还这么说，气得我身体都哆嗦了。凤霞站在一旁嘴巴一张一张没有声音，倒是泪水刷刷地流着。我向王四挥挥手说：

"你要是不怕雷公打你，就拿去吧。"

王四做了亏心事也不脸红，他直着脖子说：

"是我的我当然要拿走。"

说着他转身就走，谁也没想到凤霞挥起锄头就朝他砸去，要不是有人惊叫一声，让王四躲开的话，可就出人命了。王四看到凤霞砸他，伸手就打了凤霞一巴掌。凤霞哪有他有力气，一巴掌就被打到地上去了。那声音响得就跟人跳进池塘似的，一巴掌全打在我心上。我冲上去对准王四的脑袋就是一拳，王四的脑袋直摇晃，我的手都打疼了。王四回过神来操起一把锄头朝我劈过来，我跳开后也挥起一把锄头。

要不是村里人拦住我们，总得有一条命完蛋了。后来队长来了，队长听我们说完后骂我们：

"他娘的，你们死了让老子怎么去向上面交代。"

骂完后队长说："凤霞不会是那种人，说是你王四抢的也没人看见，这样吧，你们一家一半。"

说着队长向王四伸出手，要王四把地瓜给他。王四双手拿着地瓜舍不得交出来，队长说：

"拿来呀。"

王四没办法，哭丧着脸把地瓜给了队长。队长向旁人要过来一把镰刀，将地瓜放在田埂上，咔嚓一声将地瓜切成两半。队长的手偏了，一半很大，另一半很小。我说：

"队长，这怎么分啊？"

队长说："这还不容易。"

又是咔嚓一声将大的切下来一块，放进自己口袋，算是他的了。他拿起剩下的两块地瓜给我和王四，说：

"差不多大小了吧？"

其实一块地瓜也填不饱一家人的肚子，当初心里想的和现在不一样，在当初那可是救命稻草。家里断粮都有一个月了，田里能吃的也都吃得差不多了，那年月拿命去换一碗饭回来也都有人干。

和王四争地瓜的第二天，家珍拄着根树枝走出了村口，我在田里见了问她去哪儿，她说：

"我进城去看看爹。"

做女儿的想去看爹，我想拦也不能拦，看着她走路都费劲的模样，我说：

"让凤霞也去，路上能照应你。"

家珍听了这话头也不回地说：

"不要凤霞去。"

那些日子她脾气动不动就上来，我不再说什么，看着她慢慢吞吞往城里走，她瘦得身上都没肉了，原先绷起的衣服变得松松垮垮，在风里荡来荡去。

我不知道家珍进城是去要吃的，她去了一天，快到傍晚时才回来。回来时都走不动路了。是凤霞先看到她，凤霞拉了拉我的衣服，我转过身去才看到家珍站在那条路上，身体撑在拐杖上向我们招手，她抬起胳膊时脑袋像是要从肩膀上掉下去了。

我赶紧跑过去，等我跑近了，她身体一软跪在了地上，双手撑着拐杖声音很轻地叫：

"福贵，你来，你来。"

我伸手去扶她起来，她抓住我的手往胸口拉，喘着气说：

"你摸摸。"

我的手伸进她胸口一摸，人就怔住了，我摸到了一小袋米，我说：

"是米。"

家珍哭了，她说：

"是爹给我的。"

那时候的一袋米，可就是山珍海味了。一家人有一两个月没尝过米的味道了，那种高兴劲啊，实在是说不出来。我让凤霞扶着家珍赶紧回家，自己去找有庆。有庆那时正在池塘旁躺着，他刚喝饱了池水，我叫他：

"有庆，有庆。"

这孩子脖子歪了歪，有气无力地答应了一声。我低声对他说：

"快回家去喝粥。"

有庆一听有粥喝，不知哪来的力气，一下子坐了起来，叫道：

"喝粥？"

我吓了一跳，急忙说：

"轻点。"

可不能让别人家知道，家珍是把米藏在胸口衣服里带回来的。等一家人回到了家里，我关上门插上木销，家珍这才从胸口拿出那一小袋米，往锅里倒了半袋，加上水后凤霞就生火熬粥了。我让有庆站在门后，从缝里看着有没有村里人走来。水一开，米香

就飘满了屋子，有庆在门后站不住了，跑到锅前凑上去鼻子闻了
又闻，说：

"好香啊。"

我把他拉开，说：

"去门后看着。"

这孩子猛吸了两口热气才回到门后，家珍笑起来，说道：

"总算能让你们吃上一顿好的了。"

说着家珍掉出了眼泪，她说：

"这米是从我爹牙缝里挤出来的。"

这时外面有人走来，走到门口叫：

"福贵。"

我们吓得气都不敢出了，有庆站在那里弓着腰一动不动，只
有凤霞笑嘻嘻地往灶里添柴，她听不到。我拍拍她，让她手脚轻
一点。听着屋里没有声音，外面那人很不高兴地说：

"烟囱呼呼地冒烟，里面没人答应。"

过了一会，那人像是走开了。有庆又在门后往外望了一阵，
才悄悄地告诉我们：

"走啦。"

我和家珍总算舒了一口气。粥熬成后，我们一家四口人坐在
桌前，喝起了热腾腾的米粥。这辈子我再没像那次吃得那么香了，
那味道让我想起来就要流口水。有庆喝得急，第一个喝完，张着

嘴大口大口地吸气,他嘴嫩,烫出了很多小泡,后来疼了好几天。等我们吃完后,队长他们来了。

村里人也都有一两个月没吃上米了,我们关上门,烟囱往外呼呼地冒烟,他们全看到了。刚才有人来叫门,我们没答应,他回去一说,来了一伙人,队长走在前头。他们猜到我们有好吃的,都想来吃一口。

队长一进屋鼻子就一抖一抖了,问:

"煮什么吃啦,这么香?"

我嘿嘿笑着没说话,我不说话队长也不好再问。家珍招呼着他们坐下,有几个人不老实,又去揭锅又掀褥子,好在家珍将剩下的米藏在胸口了,也不怕他们乱翻。队长看不下去了,他说:

"你们干什么,这是在别人家里。出去,出去,他娘的都出去。"

队长把他们赶走后,起身关上门,也不先和我们套套近乎,一下子就把脸凑过来说:

"福贵,家珍,有好吃的分我一口。"

我看看家珍,家珍看看我,平日里队长对我们不错,眼下他求上我们了,总不能不答应。家珍伸手从胸口拿出那个小袋子,抓了一小把给队长,说:

"队长,就这么多了,你拿回去熬一锅米汤吧。"

队长连声说:"够了,够了。"

队长让家珍把米放在他口袋里,然后双手攥住口袋嘿嘿笑着走了。队长一走，家珍眼泪马上就下来了，她是心疼那把米。看着家珍哭，我只能连连叹气。

这样的日子一直熬到收割稻子以后，虽说是歉收，可总算又有粮食了，日子一下子好过多了。谁知家珍的病越来越重了，到后来走路都走不了几步，都是那灾年把她给糟蹋成这样的。家珍不甘心，干不了田里活，她还想干家里的活。她扶着墙到这里擦擦，又到那里扫扫，有一天她摔倒后不知怎么爬不起来了，等我和凤霞收工回到家里，她还躺在地上，脸都擦破了。我把她抱到床上，凤霞拿了块毛巾给她擦掉脸上的血，我说：

"你以后就躺在床上。"

家珍低着头轻声说道：

"我不知道会爬不起来。"

家珍算是硬的，到了那种时候也不叫一声苦。她坐在床上那些日子，让我把所有的破烂衣服全放到她床边，她说：

"有活干心里踏实。"

她拆拆缝缝给凤霞和有庆都做了件衣服，两个孩子穿上后看起来还很新。后来我才知道她把自己的衣服也拆了，看到我生气，她笑了笑说：

"衣服不穿坏起来快。我是不会穿它们了，可不能跟着我糟蹋了。"

家珍说也给我做一件，谁知我的衣服没做完，家珍连针都拿不起了。那时候凤霞和有庆睡着了，家珍还在油灯下给我缝衣服，她累得脸上都是汗，我几次催她快睡，她都喘着气摇头，说是快了。结果针掉了下去，她的手哆嗦着去拿针，拿了几次都没拿起来，我捡起来递给她，她才捏住又掉了下去。家珍眼泪流了出来，这是她病了以后第一次哭，她觉得自己再也干不了活了，她说：

"我是个废人了，还有什么指望？"

我用袖管给她擦眼泪，她瘦得脸上的骨头都突了出来。我说她是累的，照她这样，就是没病的人也会吃不消。我宽慰她，说凤霞已经长大了，挣的工分比她过去还多，用不着再为钱操心了。家珍说：

"有庆还小啊。"

那天晚上，家珍的眼泪流个不停，她几次嘱咐我：

"我死后不要用麻袋包我，麻袋上都是死结，我到了阴间解不开，拿一块干净的布就行了，埋掉前替我洗洗身子。"

她又说："凤霞大了，要是能给她找到婆家我死也闭眼了。有庆还小，有些事他不懂，你不要常去揍他，吓唬吓唬就行了。"

她是在交代后事，我听了心里酸一阵苦一阵，我对她说：

"按理说我是早就该死了，打仗时死了那么多人，偏偏我没死，就是天天在心里念叨着要活着回来见你们，你就舍得扔下我们？"

我的话对家珍还是有用的，第二天早晨我醒来时，看到家珍正在看我，她轻声说：

"福贵，我不想死，我想每天都能看到你们。"

家珍在床上躺了几天，什么都不干，慢慢地又有点力气了，她能撑着坐起来，她觉得自己好多了，心里高兴，想试着下地，我不让，我说：

"往后不能再累着了，你得留着点力气，日子还长着呢。"

那一年，有庆念到五年级了。俗话说是祸不单行，家珍病成那样，我就指望有庆快些长大，这孩子成绩不好，我心想别逼他去念中学了，等他小学一毕业，就让他跟着我下地挣工分去。谁知道家珍身体刚刚好些，有庆就出事了。

那天下午，有庆他们学校的校长，那是县长的女人，在医院里生孩子时出了很多血，一只脚都跨到阴间去了。学校的老师马上把五年级的学生集合到操场上，让他们去医院献血，那些孩子一听是给校长献血，一个个高兴得像是要过节了，一些男孩子当场卷起了袖管。他们一走出校门，我的有庆就脱下鞋子，拿在手里就往医院跑，有四五个男孩也跟着他跑去。我儿子第一个跑到医院，等别的学生全走到后，有庆排在第一位，他还得意地对老师说：

"我是第一个到的。"

结果老师一把把他拖出来，把我儿子训斥了一通，说他不遵守纪律。有庆只得站在一旁，看着别的孩子挨个去验血，验血验了十多个没一个血对上校长的血。有庆看着看着有些急了，他怕自己会被轮到最后一个，到那时可能就献不了血了。他走到老师跟前，怯生生地说：

"老师，我知道错了。"

老师嗯了一下，没再理他，他又等了两个进去验血，这时产房里出来一个戴口罩的医生，对着验血的男人喊：

"血呢？血呢？"

验血的男人说："血型都不对。"

医生喊："快送进来，病人心跳都快没啦。"

有庆再次走到老师跟前，问老师：

"是不是轮到我了？"

老师看了看有庆，挥挥手说：

"进去吧。"

验到有庆血型才对上了，我儿子高兴得脸都涨红了，他跑到门口对外面的人叫道：

"要抽我的血啦。"

抽一点血就抽一点，医院里的人为了救县长女人的命，一抽上我儿子的血就不停了。抽着抽着有庆的脸就白了，他还硬挺着不说，后来连嘴唇也白了，他才哆嗦着说：

"我头晕。"

抽血的人对他说：

"抽血都头晕。"

那时候有庆已经不行了，可出来个医生说血还不够用。抽血的是个乌龟王八蛋，把我儿子的血差不多都抽干了。有庆嘴唇都青了，他还不住手，等到有庆脑袋一歪摔在地上，那人才慌了，去叫来医生，医生蹲在地上拿听筒听了听说：

　　"心跳都没了。"

　　医生也没怎么当回事，只是骂了一声抽血的：

　　"你真是胡闹。"

　　就跑进产房去救县长的女人了。

　　那天傍晚收工前，邻村的一个孩子，是有庆的同学，急匆匆跑过来，他一跑到我们跟前就扯着嗓子喊：

　　"哪个是徐有庆的爹？"

　　我一听心就乱跳，正担心着有庆会不会出事，那孩子又喊：

　　"哪个是他娘？"

　　我赶紧答应："我是有庆的爹。"

　　孩子看看我，擦着鼻子说：

　　"对，是你，你到我们教室里来过。"

　　我心都要跳出来了，他这才说：

　　"徐有庆快死啦，在医院里。"

　　我眼前立刻黑了一下，我问那孩子：

　　"你说什么？"

　　他说："你快去医院，徐有庆快死啦。"

我扔下锄头就往城里跑，心里乱成一团。想想中午上学时有庆还好好的，现在说他快要死了。我脑袋里嗡嗡乱叫着跑到城里医院，见到第一个医生我就拦住他，问他：

"我儿子呢？"

医生看看我，笑着说：

"我怎么知道你儿子？"

我听后一怔，心想是不是弄错了，要是弄错可就太好了。

我说：

"他们说我儿子快死了，要我到医院。"

准备走开的医生站住脚看着我问：

"你儿子叫什么名字？"

我说："叫有庆。"

他伸手指指走道尽头的房间说：

"你到那里去问问。"

我跑到那间屋子，一个医生坐在里面正写些什么，我心里咚咚跳着走过去问：

"医生，我儿子还活着吗？"

医生抬起头来看了我很久，才问：

"你是说徐有庆？"

我急忙点点头，医生又问：

"你有几个儿子？"

我的腿马上就软了，站在那里哆嗦起来，我说：

"我只有一个儿子，求你行行好，救活他吧。"

医生点点头，表示知道了，可他又说：

"你为什么只生一个儿子？"

这叫我怎么回答呢？我急了，问他：

"我儿子还活着吗？"

他摇摇头说："死了。"

我一下子就看不见医生了，脑袋里黑乎乎一片，只有眼泪哗哗地掉出来，半响我才问医生：

"我儿子在哪里？"

有庆一个人躺在一间小屋子里，那张床是用砖头搭成的。我进去时天还没黑，看到有庆的小身体躺在上面，又瘦又小，身上穿的是家珍最后给他做的衣服。我儿子闭着眼睛，嘴巴也闭得很紧。我有庆有庆叫了好几声，有庆一动不动，我就知道他真死了，一把抱住了儿子，有庆的身体都硬了。中午上学时他还活生生的，到了晚上他就硬了。我怎么想都想不通，这怎么也应该是两个人，我看看有庆，摸摸他的瘦肩膀，又真是我的儿子。我哭了又哭，都不知道有庆的体育老师也来了。他看到有庆也哭了，一遍遍对我说：

"想不到，想不到。"

体育老师在我边上坐下，我们两个人对着哭，我摸摸有庆的脸，他也摸摸。过了很久，我突然想起来，自己还不知道儿子是怎么死的。我问体育老师，这才知道有庆是抽血被抽死的。当时我想杀人了，我把儿子一放就冲了出去。冲到病房看到一个医生就抓住他，也不管他是谁，对准他的脸就是一拳，医生摔到地上乱叫起来，我朝他吼道：

"你杀了我儿子。"

吼完抬脚去踢他，有人抱住了我，回头一看是体育老师，我就说：

"你放开我。"

体育老师说："你不要乱来。"

我说："我要杀了他。"

体育老师抱住我，我脱不开身，就哭着求他：

"我知道你对有庆好，你就放开我吧。"

体育老师还是死死抱住我，我只好用胳膊肘拼命撞他，他也不松开，让那个医生爬起来跑走了。很多的人围了上来，我看到里面有两个医生，我对体育老师说：

"求你放开我。"

体育老师力气大，抱住我我就动不了，我用胳膊肘撞他，他也不怕疼，一遍遍地说：

"你不要乱来。"

这时有个穿中山服的男人走了过来，他让体育老师放开我，问我：

"你是徐有庆同学的父亲？"

我没理他，体育老师一放开我，我就朝一个医生扑过去，那医生转身就逃。我听到有人叫穿中山服的男人县长，我一想原来他就是县长，就是他女人夺了我儿子的命，我抬腿就朝县长肚子上蹬了一脚，县长哼了一声坐到了地上。体育老师又抱住了我，对我喊：

"那是刘县长。"

我说："我要杀的就是县长。"

抬起腿再去蹬，县长突然问我：

"你是不是福贵？"

我说："我今天非宰了你。"

县长站起来，对我叫道：

"福贵，我是春生。"

他这么一叫，我就傻了。我朝他看了半晌，越看越像，就说：

"你真是春生。"

春生走上前来也把我看了又看，他说：

"你是福贵。"

看到春生我怒气消了很多，我哭着对他说：

"春生你长高长胖了。"

春生眼睛也红了，说道：

"福贵，我还以为你死了。"

我摇摇头说："没死。"

春生又说："我还以为你和老全一样死了。"

一说到老全，我们两个都呜呜地哭上了。哭了一阵我问春生："你找到大饼了吗？"

春生擦擦眼睛说："没有，你还记得？我走过去就被俘虏了。"

我问他："你吃到馒头了吗？"

他说："吃到的。"

我说："我也吃到了。"

说着我们两个人都笑了，笑着笑着我想起了死去的儿子，我抹着眼睛又哭了，春生的手放到我肩上，我说：

"春生，我儿子死了，我只有一个儿子。"

春生叹口气说："怎么会是你的儿子？"

我想到有庆还一个人躺在那间小屋里，心里疼得受不了，我对春生说：

"我要去看儿子了。"

我也不想再杀什么人了，谁料到春生会突然冒出来，我走了几步回过头去对春生说：

"春生，你欠了我一条命，你下辈子再还给我吧。"

那天晚上我抱着有庆往家走，走走停停，停停走走，抱累了就把儿子放到背脊上，一放到背脊上心里就发慌，又把他重新抱到了前面，我不能不看着儿子。眼看着走到了村口，我就越走越难，想想怎么去对家珍说呢？有庆一死，家珍也活不长，家珍已经病成这样了。我在村口的田埂上坐下来，把有庆放在腿上，一看儿子我就忍不住哭，哭了一阵又想家珍怎么办？想来想去还是先瞒着家珍好。我把有庆放在田埂上，回到家里偷偷拿了把锄头，再抱起有庆走到我娘和我爹的坟前，挖了一个坑。

要埋有庆了，我又舍不得。我坐在爹娘的坟前，把儿子抱着不肯松手，我让他的脸贴在我脖子上，有庆的脸像是冻坏了，冷冰冰地压在我脖子上。夜里的风把头顶的树叶吹得哗啦哗啦响，有庆的身体也被露水打湿了。我一遍遍想着他中午上学时跑去的情形，书包在他背后一甩一甩的。想到有庆再不会说话，再不会拿着鞋子跑去，我心里是一阵阵酸疼，疼得我都哭不出来。我那么坐着，眼看着天要亮了，不埋不行了，我就脱下衣服，把袖管撕下来蒙住他的眼睛，用衣服把他包上，放到了坑里。我对爹娘的坟说：

"有庆要来了，你们待他好一点，他活着时我对他不好，你们就替我多疼疼他。"

有庆躺在坑里，越看越小，不像是活了十三年，倒像是家珍才把他生出来。我用手把土盖上去，把小石子都拣出来，我怕石子硌得他身体疼。埋掉了有庆，天蒙蒙亮了，我慢慢往家里走，走几步就要回头看看，走到家门口一想到再也看不到儿子，忍不住哭出了声音，又怕家珍听到，就捂住嘴蹲下来，蹲了很久，都听到出工的吆喝声了，才站起来走进屋去。凤霞站在门旁睁圆了眼睛看我，她还不知道弟弟死了。邻村的那个孩子来报信时，她也在，可她听不到。家珍在床上叫了我一声，我走过去对她说：

"有庆出事了，在医院里躺着。"

家珍像是信了我的话，她问我：

"出了什么事？"

我说："我也说不清楚，有庆上课时突然昏倒了，被送到医院，医生说这种病治起来要有些日子。"

家珍的脸伤心起来，泪水从眼角淌出，她说：

"是累的，是我拖累有庆的。"

我说："不是，累也不会累成这样。"

家珍看了看我又说：

"你眼睛都肿了。"

我点点头："是啊，一夜没睡。"

说完我赶紧走出门去，有庆才被埋到土里，尸骨未寒啊，再和家珍说下去我就稳不住自己了。

接下去的日子，白天我在田里干活，到了晚上我对家珍说进城去看看有庆好些了没有。我慢慢往城里走，走到天黑了，再走回来，到有庆坟前坐下。夜里黑乎乎的，风吹在我脸上，我和死去的儿子说说话，声音飘来飘去都不像是我的。坐到半夜我才回到家中，起先的几天，家珍都是睁着眼睛等我回来，问我有庆好些了吗。我就随便编些话去骗她。过了几天我回去时，家珍已经睡着了，她闭着眼睛躺在那里。我也知道老这么骗下去不是办法，可我只能这样，骗一天是一天，只要家珍觉得有庆还活着就好。

有天晚上我离开有庆的坟，回到家里在家珍身旁躺下后，睡着的家珍突然说：

"福贵，我的日子不长了。"

我心里一沉，去摸她的脸，脸上都是泪。家珍又说：

"你要照看好凤霞，我最不放心的就是她。"

家珍都没提有庆，我当时心里马上乱了，想说些宽慰她的话也说不出来。

第二天傍晚，我还和往常一样对家珍说进城去看有庆，家珍让我别去了，她要我背着她去村里走走。我让凤霞把她娘抱起来，抱到我背脊上。家珍的身体越来越轻了，瘦得身上全是骨头。一出家门，家珍就说：

"我想到村西去看看。"

那地方埋着有庆，我嘴里说好，腿脚怎么也不肯往那地方去，走着走着走到了东边村口。家珍这时轻声说：

"福贵，你别骗我了，我知道有庆死了。"

她这么一说，我站在那里动不了，腿也开始发软。我的脖子上越来越湿，我知道那是家珍的眼泪，家珍说：

"让我去看看有庆吧。"

我知道骗不下去，就背着家珍往村西走，家珍低声告诉我：

"我夜夜听着你从村西走过来，我就知道有庆死了。"

走到了有庆坟前，家珍要我把她放下去，她扑在了有庆坟上，眼泪哗哗地流，两只手在坟上像是要摸有庆，可她一点力气都没有，只有几根指头稍稍动着。我看着家珍这副样子，心里难受得要被堵住了，我真不该把有庆偷偷埋掉，让家珍最后一眼都没见着。

家珍一直扑到天黑，我怕夜露伤着她，硬把她背到身后。家珍让我再背她到村口去看看，到了村口，我的衣领都湿透了，家珍哭着说：

"有庆不会在这条路上跑来了。"

我看着那条弯曲着通向城里的小路，听不到我儿子赤脚跑来的声音，月光照在路上，像是撒满了盐。

那天下午，我一直和这位老人待在一起，当他和那头牛歇够了，下到地里耕田时，我丝毫没有离开的想法，我像个哨兵一样在那棵树下守着他。

那时候四周田地里庄稼人的说话声飘来飘去，最为热烈的是不远处的田埂上，两个身强力壮的男人都举着茶水桶在比赛喝水，旁边年轻人又喊又叫，他们的兴奋是他们处在局外人的位置上。

福贵这边显得要冷清多了，在他身旁的水田里，两个扎着头巾的女人正在插秧，她们谈论着一个我完全陌生的男人，这个男人似乎是一个体格强壮有力的人，他可能是村里挣钱最多的男人，从她们的话里我知道他常在城里干搬运的活。一个女人直起了腰，用手背捶了捶，我听到她说：

"他挣的钱一半用在自己女人身上，一半用在别人的女人身上。"

这时候福贵扶着犁走到她们近旁，他插进去说：

"做人不能忘记四条，话不要说错，床不要睡错，门槛不要踏错，口袋不要摸错。"

福贵扶着犁过去后，又扭过去脑袋说：

"他呀，忘记了第二条，睡错了床。"

那两个女人嘻嘻一笑，我就看到福贵一脸的得意，他向牛大声吆喝了一下，看到我也在笑，对我说：

"这都是做人的道理。"

后来，我们又一起坐在了树荫里，我请他继续讲述自己，他有些感激地看着我，仿佛是我正在为他做些什么，他因为自己的身世受到别人重视，显示出了喜悦之情。

我原以为有庆一死，家珍也活不长了。有一阵子看上去她真是不行了，躺在床上喘气都是呼呼的，眼睛整天半闭着，也不想吃东西，每次都是我和凤霞把她扶起来，硬往她嘴里灌着粥汤。家珍身上一点肉都没有了，扶着她就跟扶着一捆柴火似的。

队长到我家来过两次，他一看家珍的模样直摇头，把我拉到一旁轻声说：

"怕是不行了。"

我听了这话心直往下沉，有庆死了还不到半个月，眼看着家珍也要去。这个家一下子没了两个人，往后的日子过起来可就难了，等于是一口锅砸掉了一半，锅不是锅，家不成家。

队长说是上公社卫生院请个医生来看看，队长说话还真算数，他去公社开会回来时，还真带了个医生回来。那个医生很瘦小，戴着一副眼镜，问我家珍得了什么病，我说：

"是软骨病。"

医生点点头，在床边坐下来，给家珍切脉，我看着医生边切脉边和家珍说话，家珍听到有人和她说话，只是眼睛睁了睁，也不回答。医生不知怎么搞的没找到家珍的脉搏，他像是吓了一跳，伸手去翻翻家珍的眼皮，然后一只手捧住家珍的手腕，另一只手切住家珍的脉搏，脑袋像是要去听似的歪了下去。过了一会，医生站起来对我说：

"脉搏弱得都快摸不到了。"

医生说："你准备着办后事吧。"

做医生的只要一句话，就能要我的命。我当时差点没栽到地上，我跟着医生走到屋外，问他：

"我女人还能活多久？"

医生说："出不了一个月。得了那种病，只要全身一瘫也就快了。"

那天晚上家珍和凤霞睡着以后，我一个人在屋外坐到天快亮的时候，先是呜呜地哭，哭了一阵我就开始想从前的事，想着想着又掉出了眼泪，这日子过得真是快，家珍嫁给我以后一天好日子都没过上，眼睛一眨就到了她要去的时候了。后来我想想光哭光难受也没用，事到如今也只好想些实在的事，给家珍的后事得办得像样一点。

队长心好，他看到我这副样子就说：

"福贵，你想得开些，人啊，总是要死的，眼下也别想什么了，只要让家珍死得舒坦就好。这村里的地，你随便选一块，给家珍做坟。"

其实那时候我也想开了，我对队长说：

"家珍想和有庆待在一起，他俩得埋在一个地方。"

有庆可怜，包了件衣服就埋了。家珍可不能再这样，家里再穷也要给她打一口棺材，要不我良心上交代不过去。家珍当初要是嫁了别人，不跟着我受罪，也不会累成这样，得这种病。我在村里挨家挨户地去借钱，我也不知道自己怎么了，一说起给家珍打口棺材，就忍不住掉眼泪。大伙都穷，借来的钱不够打棺材，后来队长给我凑了些村里的公款，才到邻村将木匠请来。

凤霞起先不知道她娘快去了，她看到我一闲下来就往先前村里的羊棚跑，木匠就在那里干活。我在那里一坐就是半晌，都忘了吃饭。凤霞来叫我，叫了几次看到棺材的形状出来了，她才觉察到了一些，睁圆了眼睛做手势问我，我心想凤霞也该知道这些，就告诉了她。

这孩子拼命地摇头，我知道她的意思，就用手势告诉她，这是给家珍准备的，是给家珍以后用的。凤霞还是摇头，拉着我就往家里走。回到了家中，凤霞还拉着我的袖管，她推推家珍，家珍眼睛睁开来。她就使劲摇我的胳膊，让我看家珍活得好好的。然后右手伸开了往下劈，她是要我把棺材劈掉。

凤霞心里根本就没想她娘会死，就是这样告诉她，她也不会相信。看着凤霞的样子，我只好低下头，什么手势都不做了。

家珍在床上一躺就是二十多天，有时觉得她好些了，有时又觉得她真的快去了。后来有一个晚上，我在她身旁躺下准备熄灯时，家珍突然抬起胳膊拉了拉我，让我别熄灯。家珍说话的声音跟蚊子一样大，她要我把她的身体侧过来。我女人那晚上把我看了又看，叫了好几声：

"福贵。"

然后笑了笑，闭上了眼睛。过了一会，家珍又睁开眼睛问我：

"凤霞睡得好吗？"

我起身看看凤霞，对她说：

"凤霞睡着了。"

那晚上家珍断断续续地说了好些话，到后来累了才睡着。我却怎么都睡不着，心里七上八下的，家珍那样子像是好多了，可我老怕这是不是人常说的回光返照。我的手在她身上摸来摸去，还热着我才稍稍放心下来。

第二天我起床时，家珍还睡着，我想她昨晚上睡得晚，就没叫醒她，和凤霞喝了点粥下地去干活。那天收工早，我和凤霞回到家里时，我吓了一跳，家珍竟然坐在床上了，她是自己坐起来的。家珍看到我们进去，轻声说：

"福贵，我饿了，给我熬点粥。"

当时我傻站了很久，我怎么也想不到家珍会好起来了，家珍又叫了我一声，我才回过神来，我眼泪哗哗地流了出来，我忘了凤霞听不到，对凤霞说：

"全靠你，全靠你心里想着你娘不死。"

人只要想吃东西，那就没事了。过了一阵子，家珍坐在床上能干些针线活了，照这样下去，家珍没准又能下床走路。我提着的心总算可以放下了，心里一踏实，人就病倒了。其实那病早就找到我了，有庆一死，家珍跟着是一副快去的样子，我顾不上病，也就不觉得。家珍没让医生说中，身体慢慢地好起来，我脑袋是越来越晕，直到有一天插秧时昏倒了地上，被人抬回家，我才知道自己是病了。

我一病倒，凤霞可就苦了，床上躺着两个人，她又服侍我们又要下地挣工分。过了几天，我看着凤霞实在是太累，就跟家珍说好多了，拖着个病身体下田去干活，村里人见了我都吃了一惊，说：

"福贵，你头发全白了。"

我笑笑说："以前就白了。"

他们说："以前还有一半是黑的呢，就这么几天你的头发全白了。"

就那么几天，我老了许多，我以前的力气再也没有回来，干活时腰也酸了背也疼了，干得猛一些身上到处淌虚汗。

有庆死后一个多月，春生来了。春生不叫春生了，他叫刘解放。别人见了春生都叫他刘县长，我还是叫他春生。春生告诉我，他被俘虏后就当上了解放军，一直打到福建，后来又到朝鲜去打仗。春生命大，打来打去都没被打死。朝鲜的仗打完了，他转业到邻近一个县，有庆死的那年他才到我们县。

春生来的时候，我们都在家里。队长还没走到门口就喊上了：

"福贵，刘县长来看你啦。"

春生和队长一进屋，我对家珍说：

"是春生，春生来了。"

谁知道家珍一听是春生，眼泪马上掉了出来，她冲着春生喊：

"你出去。"

我一下子愣住了。队长急了，对家珍说：

"你怎么能这样对刘县长说话。"

家珍可不管那么多，她哭着喊道：

"你把有庆还给我。"

春生摇了摇头，对家珍说："我的一点心意。"

春生把钱递给家珍，家珍看都不看，冲着他喊：

"你走，你出去。"

队长跑到家珍跟前，挡住春生，说：

"家珍，你真糊涂，有庆是事故死的，又不是刘县长害的。"

春生看家珍不肯收钱，就递给我：

"福贵，你拿着吧，求你了。"

看着家珍那样子，我哪敢收钱。春生就把钱塞到我手里，家珍的怒火立刻冲着我来了，她喊道：

"你儿子就值两百块？"

我赶紧把钱塞回到春生手里。春生那次被家珍赶走后，又来了两次，家珍死活不让他进门。女人都是一个心眼，她认准的事谁也不能让她变。我送春生到村口，对他说：

"春生，你以后别来了。"

春生点点头，走了。春生那次一走，就几年没再来，一直到文化大革命的时候，他才又来了一次。

城里闹上了文化大革命，乱糟糟的满街都是人，每天都在打架，还有人被打死，村里人都不敢进城去了。村里比起城里来，太平多了，还跟先前一样，就是晚上睡觉睡不踏实，毛主席的最新最高指示总是在深更半夜里来，队长就站在晒场上拼命吹哨子，大伙听到哨子便赶紧爬起来，到晒场去听广播。队长在那里喊：

"都到晒场来，毛主席他老人家要训话啦。"

我们是平民百姓，国家的事不是不关心，是弄不明白，我们都是听队长的，队长是听上面的。只要上面怎么说，我们就怎么想，怎么做。我和家珍最操心的还是凤霞，凤霞不小了，该给她找个婆家。凤霞长得和家珍年轻时差不多，要不是她小时候得了那场病，说媒的早把我家门槛踏平了。我自己是力气越来越小，家珍的病看样子要全好是不可能了，我们这辈子也算经历了不少事，人也该熟了，就跟梨那样熟透了该从树上掉下来。可我们放心不下凤霞，她和别人不一样，她老了谁会管她？

凤霞说起来又聋又哑，可她也是女人，不会不知道男婚女嫁的事。村里每年都有嫁出去娶进来的，敲锣打鼓热闹一阵，到那时候凤霞握着锄头总要看得发呆，村里几个年轻人就对凤霞指指点点，笑话她。

村里王家三儿子娶亲时，都说新娘漂亮。那天新娘被迎进村里来时，穿着大红的棉袄，咪咪笑个不停。我在田里望去，新娘整个儿是个红人了，那脸蛋红扑扑特别顺眼。

田里干活的人全跑了过去，新郎从口袋里摸出飞马牌香烟，向年长的男人敬烟，几个年轻人在一旁喊：

"还有我们，还有我们。"

新郎嘻嘻笑着把烟藏回到口袋里，那几个年轻人冲上去抢，喊着：

"女人都娶到床上了，也不给根烟抽。"

新郎使劲捂住口袋，他们硬是掰开他的手指，从口袋里拿出香烟后一个人举着，别的人跟着跑上了一条田埂。

剩下的几个年轻人围着新娘，嘻嘻哈哈肯定说了些难听的话，新娘低头直笑。女人到了出嫁的时候，是什么都看着舒服，什么都听着高兴。

凤霞在田里，一看到这种场景，又看呆了，两只眼睛连眨都没眨，锄头抱在怀里，一动不动。我站在一旁看得心里难受，心想她要看就让她多看看吧。凤霞命苦，她只有这么一点看看别人出嫁的福分。谁知道凤霞看着看着竟然走了上去。走到新娘旁边，痴痴笑着和她一起走过去。这下可把那几个年轻人笑坏了，我的凤霞穿着满是补丁的衣服，和新娘走在一起，新娘穿得又整齐又鲜艳，长得也好，和我凤霞一比，凤霞寒碜得实在是可怜。凤霞脸上没有脂粉，也红扑扑的和新娘一样，她一直扭头看着新娘。

村里几个年轻人又笑又叫，说：

"凤霞想男人啦。"

这么说说我也就听进去了，谁知没一会工夫难听的话就出来了，有个人对新娘说：

"凤霞看中你的床了。"

凤霞在旁边一走，新娘笑不出来了，她是嫌弃凤霞。这时有人对新郎说：

"你小子太合算了，一娶娶一双，下面铺一个，上面盖一个。"

新郎听后嘿嘿地笑，新娘受不住了，也不管自己新出嫁该害羞一些，脖子一直就对新郎喊：

"你笑个屁。"

我实在是看不下去，走上田埂对他们说：

"做人不能这样，要欺负人也不能欺负凤霞，你们就欺负我吧。"

说完我拉住凤霞就往家里走。凤霞是聪明人，一看到我的脸色，就知道刚才出了什么事，她低着头跟我往家走，走到家门口眼泪掉了下来。

后来我和家珍商量着怎么也得给凤霞找一个男人，我们都是要死在她前面的，我们死后有凤霞收作，凤霞老这样下去，死后连个收作的人都没有。可又有谁愿意娶凤霞呢？

家珍说去求求队长，队长外面认识的人多，打听打听，没准还真有人要我们凤霞。我就去跟队长说了，队长听后说：

"也是，凤霞也该出嫁了，只是好人家难找。"

我说："哪怕是缺胳膊断腿的男人，只要他想娶凤霞，我们都给。"

说完这话自己先心疼上了，凤霞哪点比不上别人，就是不会说话。回到家里，跟家珍一说，家珍也心疼上了。她坐床上半晌不说话，末了叹息一声，说：

"事到如今也只能这样了。"

过了没多久，队长给凤霞找着了一个男人。那天我在自留地上浇粪，队长走过来说：

"福贵，我给凤霞找着婆家了，是县城里的人，搬运工，挣钱很多。"

我一听条件这么好，不相信，觉得队长是在和我闹着玩，我说：

"队长，你别哄我了。"

队长说："没哄你，他叫万二喜，是个偏头，脑袋靠着肩膀，怎么也起不来。"

他一说是偏头，我就信了，赶紧说：

"你快让他来看看凤霞吧。"

队长一走，我扔了粪勺就往自己茅屋跑，没进门就喊：

"家珍，家珍。"

家珍坐在床上以为出了什么事，看着我眼睛都睁圆了。我说：

"凤霞有男人啦。"

家珍这才松了口气，说：

"你吓死我了。"

我说："不缺腿，胳膊也全，还是城里人呢。"

说完我呜呜地哭了，家珍先是笑，看到我哭，眼泪也流了出来。高兴了一阵，家珍问：

"条件这么好，会要凤霞吗？"

我说："那男的是偏头。"

家珍这才有些放心。那晚上家珍让我把她过去的一些衣服拿出来，给凤霞做了件衣服，家珍说：

"凤霞总得打扮打扮，人家都要来相亲了。"

没出三天，万二喜来了，真是个偏头，他看我时把左边肩膀翘起来，又把肩膀向凤霞和家珍翘翘，凤霞一看到他这副模样，咧着嘴笑了。

万二喜穿着中山服，干干净净的，若不是脑袋靠着肩膀，那模样还真像是城里来的干部。他拿着一瓶酒一块花布，由队长陪着进来。家珍坐在床上，头发梳得很整齐，衣服破了一点，倒很干净，我还专门在床下给家珍放了一双新布鞋。凤霞穿着水红衣服低着头坐在她娘旁边。家珍笑嘻嘻地看着她未过门的女婿，心里高兴着呢。

万二喜把酒和花布往桌上一放，就翘着肩膀在屋里转一圈，他是在看我们的屋子。我说：

"队长，二喜，你们坐。"

二喜嗯了一声在凳子上坐下，队长摆摆手说：

"我就不坐了，二喜，这是凤霞，这是她爹和娘。"

凤霞双手放在腿上，看到队长指着她，就向队长笑，队长指着家珍，她转过去向家珍笑。家珍说：

"队长，你请坐。"

队长说："不啦，我还有事，你们谈吧。"

队长转身要走，留也留不住，我送走了队长，回到屋中指指桌上的酒，对二喜说：

"让你破费了，其实我有几十年没喝酒了。"

二喜听后嗯了一声，也不说话，翘着个肩膀在屋里看来看去，看得我心里七上八下。家珍笑着对他说：

"家里穷了一点。"

二喜又嗯了一声，翘着肩膀去看家珍。家珍继续说：

"好在家里还养着一头羊几只鸡，福贵和我商量着等凤霞出嫁时，把鸡羊卖了办嫁妆。"

二喜听后还是嗯了一下，我都不知道他心里想什么。坐了一会，他站起来说要走了。我想这门亲事算是完了。他都没怎么看凤霞，老看我们的破烂屋子。我看看家珍，家珍苦笑一下，对二喜说：

"我腿没力气，下不了地。"

二喜点点头走到了屋外。我问他：

"聘礼不带走了？"

他嗯了一下，翘着肩膀看看屋顶的茅草，点了点头后就走了。

我回到屋里，在凳子上坐下，想想有些生气，就说：

"自己脑袋都抬不起来，还挑三拣四的。"

家珍叹了口气说：

"这也不能怪人家。"

凤霞聪明，一看到我们的样子，就知道人家没看上她，站起来走到里面的房间，换了身旧衣服，扛着把锄头下地去了。

到了晚上，队长来问我：

"成了吗？"

我摇摇头说："太穷了，我家太穷了。"

第二天上午，我在耕田时，有人叫我：

"福贵，你看那路上，像是到你家相亲的偏头来了。"

我抬起头来，看到五六个人在那条路上摇摇摆摆地走来，还拉着一辆板车，只有走在最前面那人没有摇摆，他偏着脑袋走得飞快。远远一看我就知道是二喜来了，我是一点也想不到他会来。

二喜见了我，说道：

"屋顶的茅草该换了，我拉了车石灰粉粉墙。"

我往那板车一望，有石灰，有两把刷墙的扫帚，上面搁着个小方桌，方桌上是一个猪头。二喜手里还提着两瓶白酒。

那时候我才知道二喜东张西望不是嫌我家穷，他连我屋前的草垛子都看到眼里去了。屋顶的茅草我早就想换了，只是等着农闲到来时好请村里人帮忙。

二喜带了五个人来，肉也买了，酒也备了，想得周到。他们来到我们茅屋门口，放下板车，二喜像是进了自己家一样，一手提着猪头，一手提着小方桌，走了进去，他把猪头往桌上一放，小方桌放在家珍腿上。二喜说：

"吃饭什么的都会方便一些。"

家珍当时眼睛就湿了，她是激动，她也没想到二喜会来，会带着人来给我家换茅草，还连夜给她做了个小方桌，家珍说：

"二喜，你想得真周到。"

二喜他们把桌子和凳子什么的都搬到了屋外，在一棵树下面铺上了稻草，然后二喜走到床前要背家珍，家珍笑着摆摆手，叫我：

"福贵，你还站着干什么。"

我赶紧过去让家珍上我背脊，我笑着对二喜说：

"我女人我来背，你往后背凤霞吧。"

家珍敲了我一下，二喜听后嘿嘿直笑。我把家珍背到树下，让她靠着树坐在稻草上。看着二喜他们把草垛子分散了，扎成一小捆一小捆，二喜和另一个人爬到屋顶，下面留着四个，替我家翻屋顶的茅草。我看一眼就知道二喜带来的人都是干惯这活的，手脚都麻利。下面的用竹竿挑着往上扔，二喜和另一个人在上面铺。别看二喜脑袋靠着肩膀，干活一点都不碍事，茅草扔上去他先用脚踢一下，再伸手接住。有这本领的人，在我们村里是一个都找不出来。

没到中午，屋顶的活就干完了。我给他们烧了一桶茶水，凤霞给他们倒茶水，跑前跑后忙个不停，她也高兴，看到家里突然来了这么多干活的人，凤霞笑开的嘴就没合上。

村里很多人都走过来看，一个女的对家珍说：

"女婿没过门就干活啦，你好福气啊。"

家珍说："是凤霞好福气。"

二喜从屋顶上下来，我对他说：

"二喜，歇一会。"

二喜用袖管擦擦脸上的汗说：

"不累。"

说完又翘起肩膀往四处看，看到左边一块菜地问我：

"这是咱家的地吗？"

我说："是啊。"

他就进屋拿了把菜刀，下到地里割了几棵新鲜的菜，又拿进屋去。不一会，他在里面切猪头了，我去拦他，让他把这活留给凤霞，他还是用袖管擦着汗说：

"不累。"

我只好出来去推凤霞，凤霞站在家珍旁边，我把她往屋里推的时候，她还不好意思地扭着头看家珍，家珍笑着挥手让她进去，她这才进了茅屋。

我和家珍陪着二喜带来的人喝茶说话，中间我走进去一次，看到二喜和凤霞像是两口子，一个烧火，一个做饭炒菜。两个你看看我，我看看你，看过后都咧着嘴笑了。

　　我出来和家珍一说，家珍也笑了。过了一会，我忍不住又想去看看，刚站起来家珍就叫住我，偷偷说：

　　"你别进去了。"

　　吃过午饭，二喜他们用石灰粉起了墙，我家的土墙到了第二天石灰一干，变成白晃晃一片，像是城里的砖瓦房子。粉完了墙天还早着，我对二喜说：

　　"吃了晚饭再走吧。"

　　他说："不吃了。"

　　就着肩膀向凤霞翘了翘，我知道他是在看凤霞。他低声问我和家珍：

　　"爹，娘，我什么时候把凤霞娶过去？"

　　一听这话，一听他叫我和家珍爹娘，我们欢喜得合不上嘴。我看看家珍后说：

　　"你想什么时候就什么时候。"

　　接着我又轻声说：

　　"二喜，不是我想让你破费，实在是凤霞命苦，你娶凤霞那天多叫些人来，热闹热闹，也好叫村里人看看。"

　　二喜说："爹，知道了。"

那天晚上凤霞摸着二喜送来的花布，看看笑笑，笑笑看看。有时抬头看到我和家珍在笑，心里一慌，脸就红了。看得出来凤霞喜欢二喜，我和家珍高兴，家珍说：

"二喜是个实在人，心眼好，把凤霞给他，我心里踏实。"

我们把家里的鸡羊卖了，我又领着凤霞去城里给她做了两身新衣服，给她添置了一床新被子，买了脸盆什么的。凡是村里别人家女儿有的，凤霞都有，拿家珍的话说是：

"不能委屈凤霞了。"

二喜来娶凤霞那天，锣鼓很远就闹过来了，村里人全挤到村口去看。二喜带来了二十多个人，全穿着中山服，要不是二喜胸口戴了朵大红花，那样子像是什么大干部下来了呢。十几个锣同时敲着，两个大鼓擂得咚咚响，把村里人耳朵震得嗡嗡乱响，最显眼的是中间有一辆披红戴绿的板车，车上一把椅子也红红绿绿。一走进村里，二喜就拆了两条大前门香烟，见到男子就往他们手里塞，嘴里连连说：

"多谢，多谢。"

村里别人家娶亲嫁女时，抽的最好的香烟也不过是飞马牌，二喜将大前门一盒一盒送人，那气派把谁家都比下去了。拿到香烟的赶紧都往自己口袋里放，像是怕人来抢似的，手指在口袋里摸索着抽出一根放在嘴上。

跟在二喜身后那二十来人也卖力，锣鼓敲得震天响，还扯着嗓子喊，他们的口袋都鼓鼓的，见到村里年轻的女人和孩子，就把口袋里的糖果往他们身上扔。这样大手大脚把我都看呆了，心想扔掉的都是钱啊。

他们来到我家茅屋前，一个个进去看凤霞，锣鼓留在外面，村里的年轻人就帮着敲上了。凤霞那天穿上新衣服可真漂亮，连我这个做爹的都想不到她会这么漂亮，她坐在家珍床前，在进来的人里挨个找二喜，一看到二喜赶紧低下了头。

二喜带来的城里人见了凤霞都说：

"这偏头真有艳福。"

后来过了好多年，村里别的姑娘出嫁时，他们还都会说凤霞出嫁时最气派。那天凤霞被迎出屋去时，脸蛋红得跟番茄一样，从来没有那么多人一起看着她，她把头埋在胸前都不知道该怎么办，二喜拉着她的手走到板车旁，凤霞看看车上的椅子还是不知道该干什么。个头比凤霞矮的二喜一把将凤霞抱到了车上，看的人哄地笑起来，凤霞也咻咻笑了。二喜对我和家珍说：

"爹，娘，我把凤霞娶走啦。"

说着二喜自己拉起板车就走。板车一动，低头笑着的凤霞急忙扭过头来，焦急地看来看去。我知道她是在看我和家珍，我背着家珍其实就站在她旁边。她一看到我们，眼泪哗哗流了出来，她扭着身体哭着看我们。我一下子想起凤霞十三岁那年，被人领走时也是这么哭着看我，我一伤心眼泪也出来了，这时我脖子也湿了，我知道家珍也在哭。我想想这次不一样，这次凤霞是出嫁，我就笑了，对家珍说：

"家珍，今天是办喜事，你该笑。"

二喜是实心眼，他拉着板车走时，还老回过头去看看他的新娘，一看到凤霞扭着身体朝我们哭，他就不走了，站在那里也把身体扭着。凤霞是越哭越伤心，肩膀也一抖一抖了，让我这个做爹的心里一抽一抽，我对二喜喊：

"二喜，凤霞是你的女人了，你还不快拉走。"

凤霞嫁到了城里，我和家珍就跟丢了魂似的，怎么都觉得心慌。往常凤霞在屋里进进出出也不怎么觉得，如今凤霞一走，屋里就剩我和家珍，两个人看来看去，都看了几十年了，像是还没看够。我还好，在地里干活能分掉点想凤霞的心思。家珍就苦了，整天坐在床上，整天闲着，没有了凤霞，做娘的心里能不慌张？先前她在床上待着从不说什么，这么一来她可就难受了，腰也酸了背也疼了，怎么都不舒服。我也知道那滋味，整天在床上，比下地干活还累，身体都活动不了。我就在黄昏的时候背着她到村里去走走。村里人见了家珍，都亲热地问长问短，家珍心里也舒畅多了，她贴着我耳朵问：

"他们不会笑话我们吧？"

我说："我背着自己的女人有什么好笑话的。"

家珍开始喜欢提一些过去的事，到了一处，她就要说起凤霞，说起有庆从前的事，说着说着就笑。来到了村口，家珍说起那天我回来的事，家珍在田里干活，听到有个人大声叫凤霞，叫有庆，抬头一看看到了我，起先还不敢认。家珍说到这里笑着哭了，泪水滴在我脖子上，她说：

"你回来就什么都好了。"

按规矩凤霞得一个月以后回来，我们也得一个月以后才能去看她。谁知凤霞嫁出去还不到十天，就回来了。那天傍晚我们刚吃过饭，有人在外面喊：

"福贵，你到村口去看看，像是你家的偏头女婿来了。"

我还不相信，村里人都知道我和家珍想凤霞都快想呆了，我觉得村里人是在捉弄我们，我跟家珍说：

"不会吧，才十来天工夫。"

家珍急了，她说：

"你快去看看。"

我跑到村口一看，还真是二喜，翘着左边的肩膀，手里提着一包糕点，凤霞走在他旁边，两个人手拉着手，笑眯眯地走来。村里人见了都笑，那年月可是见不到男女手拉着手的，我对他们说：

"二喜是城里人，城里人就是洋气。"

凤霞和二喜一来，家珍高兴坏了；凤霞在床沿上一坐，家珍拉住她的手摸个没完，一遍遍说凤霞长胖了，其实十来天工夫能长多少肉？我对二喜说：

"没想到你们会来，一点准备都没有。"

二喜嘿嘿地笑，他说他也不知道会来，是凤霞拉着他，他糊里糊涂地跟来了。

凤霞嫁出去没过十天就回来，我们也不管什么老规矩了，我是三天两头往城里跑，说起来是家珍要我去的，我自己也想着要常去看看他们。我往城里跑得这么勤快，跟年轻时一样了，只是去的地方不一样。

去的时候，我就在自留地里割上几棵青菜，放在篮子里提着，穿上家珍给我做的新布鞋。我割菜时鞋上沾了点泥，家珍就叫住我，要我把泥擦掉。我说：

"人都老了，还在乎什么鞋上有泥。"

家珍说："话可不能这么说，人老了也是人，是人就得干净一些。"

这倒也是，家珍病了那么多年，在床上下不了地，头发每天都还是梳得整整齐齐的。我穿得干干净净走出村口，村里人见我提着青菜，就问：

"又去看凤霞？"

我点点头："是啊。"

他们说："你老这么去，那偏头女婿不赶你走？"

我说："二喜才不会呢。"

二喜家的邻居都喜欢凤霞，我一去，他们就夸她，说她又勤快又聪明。扫地时连别人家的屋前也扫，一扫就扫半条街，邻居看到凤霞汗都出来了，走过去拍拍她，让她别扫了，她这才笑眯眯地回到自己屋里。

凤霞以前没学过织毛衣，我们家穷，谁也没穿过毛衣。凤霞看到邻居的女人坐在门前织毛衣，手穿来插去的，心里喜欢她就搬着把凳子坐到跟前看，一看就看半天，人都看呆了。邻居家的女人看着凤霞这么喜欢，便手把手教她。这么一教可把她们吓一跳，凤霞一学就会，才三四天，凤霞织毛衣和她们一样快了。她们见了我就说：

"要是凤霞不聋不哑有多好。"

她们也在心里可怜凤霞。后来只要屋里的活一忙完，凤霞便坐到门前替她们织毛衣。整条街的女人里就数凤霞毛衣织得最紧最密，这下可好了，她们都把毛线送过来，让凤霞替她们织。凤霞累是累了一些，可她心里高兴。毛衣织成了给人家，她们向她跷跷大拇指，凤霞张着嘴就要笑半天。

我一进城，邻居家的女人就过来挨个告诉我，凤霞这儿好，那儿好，我听到的全是好话，听得我眼睛都红了，我说：

"城里人就是好，在村里是难得听到说我凤霞好。"

看到大家都这么喜欢凤霞，二喜又疼爱她，我心里高兴啊。回到家里，家珍总是埋怨我去得太久。这也是，家珍一个人在家里伸直了脖子等我回去说些凤霞的新鲜事，左等右等不见我回来，心里当然要焦急。我说：

"一见了凤霞就忘了时间。"

每次回到家里，我都要坐在床边说半晌，凤霞屋里屋外的事，她穿什么颜色的衣服，家珍给她做的鞋穿破了没有。家珍什么都知道，她是没完没了地问，我也没完没了地说，说得我嘴里都没有唾沫了，家珍也不放过我，问我：

"还有什么忘了说了？"

一说说到天黑，村里人都差不多要上床睡觉了，我们都还没吃饭，我说：

"我得煮吃的了。"

家珍拉住我，求我：

"你再给我说说凤霞。"

其实我也愿意多说说凤霞，跟家珍说我还嫌不够，到田里干活时，我又跟村里人说了，说凤霞又聪明又勤快，在城里怎么好，怎么招人喜爱，毛衣织得比谁都快。村里有些人听了还不高兴，对我说：

"福贵，你是老昏了头，城里人心眼坏着呢，凤霞整天给别人家干活还不累死。"

我说："话可不能这么说。"

他们说："凤霞替她们织毛衣，她们也得送点东西给凤霞，送了吗？"

村里人心眼就是小，尽想些捡便宜的事。城里的女人可不是他们说的那么坏，我有两次听到她们对二喜说：

"二喜，你去买两斤毛线来，也该让凤霞有件毛衣。"

二喜听后笑笑，没做声。二喜是实在人，娶凤霞时他依了我的话，钱花多了，欠下了债。到了私下里，他悄悄对我说：

"爹，我还了债就给凤霞买毛线。"

城里的文化大革命是越闹越凶，满街都是大字报，贴大字报的人都是些懒汉，新的贴上去时也不把旧的撕掉，越贴越厚，那墙上像是有很多口袋似的鼓了出来。连凤霞、二喜他们屋门上都贴了标语，屋里脸盆什么的也印上了毛主席他老人家的话，凤霞他们的枕巾上印着：千万不要忘记阶级斗争；床单上的字是：在大风大浪中前进。二喜和凤霞每天都睡在毛主席的话上面。

我每次进城，看到人多的地方就避开，城里是天天都在打架，我就见过几次有人被打得躺在地上起不来。难怪队长再不上城里开会了，公社常派人来通知他去县里开三级干部会议，队长都不去，私下里对我们说：

"城里天天都在死人，我吓都吓死了，眼下进城去开会就是进了棺材。"

队长躲在村里哪里都不去，可他也只是过了几个月的安稳日子，他不出去，别人找上门来了。那天我们都在田里干活，远远地看到一面红旗飘过来，来了一队城里的红卫兵。队长也在田里，看到他们走来，当时脖子就缩了缩，提心吊胆地问我：

"该不会来找我的吧？"

领头的红卫兵是个女的，他们来到了我们跟前，那女的朝我们喊：

"这里为什么没有标语，没有大字报？队长呢？队长是谁？"

队长赶紧扔了锄头跑过去，点头哈腰地说：

"红卫兵小将同志。"

那个女的挥挥手臂问：

"为什么没有标语和大字报？"

队长说："有标语，有两条标语呢，就刷在那间屋子后面。"

那女的看上去最多只有十六七岁，她在我们队长面前神气活现，眼睛斜了斜就算是看过队长了。她对几个提着油漆桶的红卫兵说：

"去刷上标语。"

那几个红卫兵就朝村里的房子跑去，去刷标语了。领头的女孩对队长说：

"让全村人集合。"

队长急忙从口袋里掏出哨子拼命吹，在别的田里干活的人赶紧跑了过来。等人集合得差不多了，那女的对我们喊：

"你们这里的地主是谁？"

大伙一听这话全朝我看上了，看得我腿都哆嗦了，好在队长说：

"地主解放初就毙掉了。"

她又问："有没有富农？"

队长说："富农有一个，前年归西了。"

她看看队长，对我们大伙喊：

"那走资派有没有？"

队长赔着笑脸说：

"这村里是小地方，哪有走资派？"

她的手突然一伸，都快指到队长的鼻子上了，她问：

"你是什么？"

队长吓得连声说：

"我是队长，是队长。"

谁知道她大喊一声：

"你就是走资本主义道路的当权派。"

队长吓坏了，连连摆手说：

"不是，不是，我没走。"

那女的没理他，朝我们喊：

"他对你们进行白色统治，他欺压你们，你们要起来反抗，要砸断他的狗腿。"

村里人都看傻了，平日里队长可神气了，他说什么我们听什么，从没人觉得队长说得不对。如今队长被这群城里来的孩子折腾得腰都弯下去了，他连连求饶，我们都说不出口的话他也说了。

队长求了一会，转身对我们喊：

"你们出来说说呀，我没欺压你们。"

大伙看看队长，又看看那些红卫兵，三三两两地说：

"队长没有欺压我们，他是个好人。"

那个女的皱着眉看我们，说：

"不可救药。"

说完她朝几个红卫兵挥挥手：

"把他押走。"

两个红卫兵走过去抓住队长的胳膊。队长伸直了脖子喊：

"我不进城，乡亲们哪，救救我，我不能进城，进城就是进棺材。"

队长再喊也没用，被他们把胳膊扭到后面，弯着身体押走了。大伙看着他们喊着口号杀气腾腾地走去，谁也没上去阻拦，没人有这个胆量。

队长这么一去，大伙都觉得凶多吉少，城里那地方乱着呢，就算队长保住命，也得缺条胳膊少条腿的。谁知没出三天，队长就回来了，一副鼻青脸肿的模样，在那条路上晃晃悠悠地走来。在地里的人赶紧迎上去，叫他：

"队长。"

队长眼皮抬了抬，看看大伙，什么话没说，一直走回自己家，呼呼地睡了两天。到了第三天，队长扛着把锄头下到田里，脸上的肿消了很多，大伙围上去问这问那，问他身上还疼不疼，他摇摇头说：

"疼倒没什么，不让我睡觉，他娘的比疼还难受。"

说着队长掉出眼泪，说：

"我算是看透了，平日里我像护着儿子一样护着你们，轮到我倒霉了，谁也不来救我。"

队长说得我们大伙都不敢去看他。队长总还算好，被拉到城里只是吃了三天的拳脚。春生住在城里，可就更惨了。我还一直不知道春生也倒霉了，那天我进城去看凤霞，在街上看到一伙戴着各种纸帽子、胸前挂着牌牌的人被押着游街。起先我没怎么在意，等他们来到跟前，我吓了一跳，走在最前头的竟是春生。春生低着头，没看到我，从我身边走过去后，春生突然抬起头来喊：

"毛主席万岁。"

几个戴红袖章的人冲上去对春生又打又踢，骂道：

"这是你喊的吗？他娘的走资派。"

春生被他们打倒在地，身体搁在那块木牌上，一只脚踢在他脑袋上，春生的脑袋像是被踢出个洞似的咚的一声响，整个人趴在了地上。春生被打得一点声音都没有，我这辈子没见过这么打人的，在地上的春生像是一块死肉，任他们用脚去踢。再打下去还不把春生打死了，我上去拉住两个人的袖管，说：

"求你们别打了。"

他们用劲推了我一把，我差点摔到地上，他们说：

168

"你是什么人？"

我说："求你们别打了。"

有个人指着春生说：

"你知道他是什么人，他是旧县长，是走资派。"

我说："这我都不知道，我只知道他是春生。"

他们一说话，也就没再去打春生，喊着要春生爬起来。春生被打成那样了，怎么爬得起来，我就去扶他，春生认出了我，说：

"福贵，你快走开。"

那天我回到家里，坐在床边，把春生的事跟家珍说了，家珍听了都低下头，我就说：

"当初你不该不让春生进屋。"

家珍虽然嘴上没说什么，其实她心里想的也和我一样。

过了一个多月，春生偷偷地上我家来了，他来时都深更半夜，我和家珍已经睡了，敲门把我们敲醒，我打开门借着月光一看是春生，春生的脸肿得都圆了，我说：

"春生，快进来。"

春生站在门外不肯进来，他问：

"嫂子还好吧？"

我就对家珍说：

"家珍，是春生。"

家珍坐在床上没有答应，我让春生进屋，家珍不开口，春生就不进来，他说：

"福贵，你出来一下。"

我回头又对家珍说：

"家珍，是春生来了。"

家珍还是没理我，我只好披上衣服走出去，春生走到我家屋前那棵树下，对我说：

"福贵，我是来和你告别的。"

我问："你要去哪里？"

他咬着牙齿狠狠地说：

"我不想活了。"

我吃了一惊，急忙拉住春生的胳膊说：

"春生，你别糊涂，你还有女人和儿子呢。"

一听这话，春生哭了，他说：

"福贵，我每天都被他们吊起来打。"

说着他把手伸过来：

"你摸摸我的手。"

我一摸，那手像是煮熟了一样，烫得吓人，我问他：

"疼不疼？"

他摇摇头："不觉得了。"

我把他肩膀往下按，说道：

"春生，你先坐下。"

我对他说:"你千万别糊涂,死人都还想活过来,你一个大活人可不能去死。"

我又说:"你的命是爹娘给的,你不要命了也得先去问问他们。"

春生抹了抹眼泪说:

"我爹娘早死了。"

我说:"那你更该好好活着,你想想,你走南闯北打了那么多仗,你活下来容易吗?"

那天我和春生说了很多话,家珍坐在屋里床上全听进去了。到了天快亮的时候,春生像是有些想通了,他站起来说要走了,这时家珍在里面喊:

"春生。"

我们两个都怔了一下,家珍又叫了一声,春生才答应。我们走到门口,家珍在床上说:

"春生,你要活着。"

春生点了点头。家珍在里面哭了,她说:

"你还欠我们一条命,你就拿自己的命来还吧。"

春生站了一会说:

"我知道了。"

我把春生送到村口,春生让我站住,别送了,我就站在村口,看着春生走去。春生都被打瘸了,他低着头走得很吃力。我又放心不下,对他喊:

"春生，你要答应我活着。"

春生走了几步回过头来说：

"我答应你。"

春生后来还是没有做到，一个多月后，我听说城里的刘县长上吊死了。一个人命再大，要是自己想死，那就怎么也活不了。我把这话对家珍说了，家珍听后难受了一天，到了夜里她说：

"其实有庆的死不能怪春生。"

到了田里的活一忙，我就不能常常进城去看凤霞了。好在那时是人民公社，村里人在一起干活，我用不着焦急。只是家珍还是下不了床，我起早摸黑，既不能误了田里的活，又不能让家珍饿着，人实在是累。年纪大了，要是年轻他二十岁，睡上一觉就会没事，到了那个年纪，人累了睡上几觉也补不回来，干活时手臂都抬不起来，我混在村里人中间，每天只是装装样子，他们也都知道我的难处，谁也不来说我。

农忙时凤霞来住了几天，替我做饭烧水，侍候家珍，我轻松了很多。可是想想嫁出去的女儿就是泼出去的水，凤霞早就是二喜的人了，不能在家里待得太久。我和家珍商量了一下，怎么也得让凤霞回去了，就把凤霞赶走了。我是用手一推一推把她推出村口的，村里人见了嘻嘻笑，说没见过像我这样的爹。我听了也嘻嘻笑，心想村里谁家的女儿也没像凤霞对她爹娘这么好，我说：

"凤霞只有一个人，服侍了我和家珍，就服侍不了我的偏头女婿了。"

凤霞被我赶回城里，过了没多久又回来了，这次连偏头女婿也来了。两个人在远处拉着手走来，我很远就看到了他们，不用看二喜的偏脑袋，就看拉着手我也知道是谁了。二喜提着一瓶黄酒，咧着嘴笑个不停。凤霞手里挎着个小竹篮子，也像二喜一样笑。我想是什么好事，这么高兴？

到了家里，二喜把门关上，说：

"爹，娘，凤霞有啦。"

凤霞有孩子了，我和家珍嘴一咧也都笑了。我们四个人笑了半晌，二喜才想起来手里的黄酒，走到床边将酒放在小方桌上，凤霞从篮里拿出碗豆子。我说：

"都到床上去，都到床上去。"

凤霞坐到家珍身旁，我拿了四只碗和二喜坐一头。二喜给我倒满了酒，给家珍也倒满，又去给凤霞倒，凤霞捏住酒瓶连连摇头，二喜说：

"今天你也喝。"

凤霞像是听懂了二喜的话，不再摇头。我们端起了碗，凤霞喝了一口皱皱眉，去看家珍，家珍也在皱眉，她抿着嘴笑了。我和二喜都是一口把酒喝干，一碗酒下肚，二喜的眼泪掉了出来，他说：

"爹，娘，我是做梦也想不到会有今天。"

一听这话，家珍眼睛马上就湿了。看着家珍的样子，我眼泪也下来了，我说：

　　"我也想不到，先前最怕的就是我和家珍死了凤霞怎么办，你娶了凤霞，我们心就定了，有了孩子更好了，凤霞以后死了也有人收作。"

　　凤霞看到我们哭，也眼泪汪汪的。家珍哭着说：

　　"要是有庆活着就好了，他是凤霞带大的，他和凤霞亲着呢，有庆看不到今天了。"

　　二喜哭得更凶了，他说：

　　"要是我爹娘还活着就好了，我娘死的时候捏住我的手不肯放。"

　　四个人越哭越伤心，哭了一阵，二喜又笑了，他指指那碗豆子说：

　　"爹，娘，你们吃豆子，是凤霞做的。"

　　我说："我吃，我吃，家珍，你吃。"

　　我和家珍看来看去，两个人都笑了，我们马上就会有外孙了。那天四个人哭哭笑笑，一直到天黑，二喜和凤霞才回去。

　　凤霞有了孩子，二喜就更疼爱她。到了夏天，屋里蚊子多，又没有蚊帐，天一黑二喜便躺到床上去喂蚊子，让凤霞在外面坐着乘凉，等把屋里的蚊子喂饱，不再咬人了，才让凤霞进去睡。有几次凤霞进去看他，他就焦急，一把将凤霞推出去。这都是二喜家的邻居告诉我的，她们对二喜说：

"你去买顶蚊帐。"

二喜笑笑不做声，瞅空儿才对我说：

"债不还清，我心里不踏实。"

看着二喜身上被蚊子咬得到处都是红点，我也心疼，我说：

"你别这样。"

二喜说："我一个人，蚊子多咬几口捡不了什么便宜，凤霞可是两个人啊。"

凤霞是在冬天里生孩子的，那天雪下得很大，窗户外面什么都看不清楚。凤霞进了产房一夜都没出来，我和二喜在外面越等越怕，一有医生出来，就上去问，知道还在生，便有些放心。到天快亮时，二喜说：

"爹，你先去睡吧。"

我摇摇头说："心悬着睡不着。"

二喜劝我："两个人不能绑在一起，凤霞生完了孩子还得有人照应。"

我想想二喜说得也对，就说：

"二喜，你先去睡。"

两个人推来推去，谁也没睡。到天完全亮了，凤霞还没出来，我们又怕了，比凤霞晚进去的女人都生完孩子出来了。我和二喜哪还坐得住，凑到门口去听里面的声音，听到有女人在叫唤，我们才放心。二喜说：

"苦了凤霞了。"

过了一会，我觉得不对，凤霞是哑巴，不会叫唤的，这么对二喜说，二喜的脸一下子白了，他跑到产房门口拼命喊：

"凤霞，凤霞。"

里面出来个医生朝二喜喊道：

"你叫什么，出去。"

二喜呜呜地哭了，他说：

"我女人怎么还没出来。"

旁边有人对我们说：

"生孩子有快的，也有慢的。"

我看看二喜，二喜看看我，想想可能是这样，就坐下来再等着，心里还是咚咚乱跳。没多久，出来一个医生问我们：

"要大的，还是要小的？"

她这么一问，把我们问傻了，她又说：

"喂，问你们呢。"

二喜扑通跪在了她跟前，哭着喊：

"医生，救救凤霞，我要凤霞。"

二喜在地上哇哇地哭，我把他扶起来，劝他别这样，这样伤身体，我说：

"只要凤霞没事就好了，俗话说留得青山在，不怕没柴烧。"

二喜呜呜地说：

"我儿子没了。"

我也没了外孙，我脑袋一低也呜呜地哭了。到了中午，里面有医生出来说：

"生啦，是儿子。"

二喜一听急了，跳起来叫道：

"我没要小的。"

医生说："大的也没事。"

凤霞也没事，我眼前就晕晕乎乎了，年纪一大，身体折腾不起啊。二喜高兴坏了，他坐在我旁边身体直抖，那是笑得太厉害了。我对二喜说：

"现在心放下了，能睡觉了，过会再来替你。"

谁料到我一走凤霞就出事了，我走了才几分钟，好几个医生跑进了产房，还拖着氧气瓶。凤霞生下了孩子后大出血，天黑前断了气。我的一双儿女都是生孩子上死的，有庆死是别人生孩子，凤霞死在自己生孩子。

那天雪下得特别大，凤霞死后躺到了那间小屋里，我去看她一见到那间屋子就走不进去了，十多年前有庆也是死在这里的。我站在雪里听着二喜在里面一遍遍叫着凤霞，心里疼得蹲在了地上。雪花飘着落下来，我看不清那屋子的门，只听到二喜在里面又哭又喊，我就叫二喜，叫了好几声，二喜才在里面答应一声，他走到门口，对我说：

"我要大的，他们给了我小的。"

我说："我们回家吧，这家医院和我们前世有仇，有庆死在这里，凤霞也死在这里。二喜，我们回家吧。"

二喜听了我的话，把凤霞背在身后，我们三个人往家走。

那时候天黑了，街上全是雪，人都见不到，西北风呼呼吹来，雪花打在我们脸上，像是沙子一样。二喜哭得声音都哑了，走一段他说：

"爹，我走不动了。"

我让他把凤霞给我，他不肯，又走了几步他蹲了下去，说：

"爹，我腰疼得不行了。"

那是哭的，把腰哭疼了。回到了家里，二喜把凤霞放在床上，自己坐在床沿上盯着凤霞看，二喜的身体都缩成一团了。我不用看他，就是去看他和凤霞在墙上的影子，也让我难受得看不下去。那两个影子又黑又大，一个躺着，一个像是跪着，都是一动不动，只有二喜的眼泪在动，让我看到一颗一颗大黑点在两个人影中间滑着。我就跑到灶间，去烧些水，让二喜喝了暖暖身体，等我烧开了水端过去时，灯熄了，二喜和凤霞睡了。

那晚上我在二喜他们灶间坐到天亮，外面的风呼呼地响着，有一阵子下起了雪珠子，打在门窗上沙沙乱响。二喜和凤霞睡在里屋子里一点声音也没有，寒风从门缝冷飕飕地钻进来，吹得我两个膝盖又冷又疼，我心里就跟结了冰似的一阵阵发麻，我的一双儿女就这样都去了，到了那种时候想哭都没有了眼泪。我想想家珍那时还睁着眼睛等我回去报信，我出来时她一遍一遍嘱咐我，等凤霞一生下来赶紧回去告诉她是男还是女。凤霞一死，让我怎么回去对她说？

有庆死时，家珍差点也一起去了，如今凤霞又死到她前面，做娘的心里怎么受得住。第二天，二喜背着凤霞，跟着我回到家里。那时还下着雪，凤霞身上像是盖了棉花似的差不多全白了。一进屋，看到家珍坐在床上，头发乱糟糟的，脑袋靠在墙上，我就知道她心里明白凤霞出事了，我已经连着两天两夜没回家了。我的眼泪刷刷地流了出来，二喜本来已经不哭了，一看到家珍又呜呜地哭起来，他嘴里叫着：

"娘，娘……"

家珍的脑袋动了动，离开了墙壁，眼睛一动不动地看着二喜背脊上的凤霞。我帮着二喜把凤霞放到床上，家珍的脑袋就低下来去看凤霞，那双眼睛定定的，像是快从眼眶里突出来了。我是怎么也想不到家珍会是这么一副样子，她一颗泪水都没掉出来，只是看着凤霞，手在凤霞脸上和头发上摸着。二喜哭得蹲了下去，脑袋靠在床沿上。我站在一旁看着家珍，心里不知道她接下去会怎么样。那天家珍没有哭也没有喊，只是偶尔地摇了摇头。凤霞身上的雪慢慢融化以后，整张床上都湿淋淋了。

凤霞和有庆埋在了一起。那时雪停住了，阳光从天上照下来，西北风刮得更凶了，呼呼直响，差不多盖住了树叶的响声。埋了凤霞，我和二喜抱着锄头铲子站在那里，风把我们两个人吹得都快站不住了。满地都是雪，在阳光下面白晃晃刺得眼睛疼，只有凤霞的坟上没有雪，看着这湿漉漉的泥土，我和二喜谁也抬不动脚走开。二喜指指紧挨着的一块空地说：

　　"爹，我死了埋在这里。"

　　我叹了口气对二喜说：

　　"这块就留给我吧，我怎么也会死在你前面的。"

　　埋掉了凤霞，孩子也可以从医院里抱出来了。二喜抱着他儿子走了十多里路来我家，把孩子放在床上。那孩子睁开眼睛时皱着眉，两个眼珠子瞟来瞟去，不知道他在看什么。看着孩子这副模样，我和二喜都笑了。家珍是一点都没笑，她眼睛定定地看着孩子，手指放在他脸旁，家珍当初的神态和看死去的凤霞一模一样，我当时心里七上八下的，家珍的模样吓住了我，我不知道家珍是怎么了。后来二喜抬起头来，一看到家珍他立刻不笑了，垂着手臂站在那里不知怎么才好。过了很久，二喜才轻声对我说：

　　"爹，你给孩子取个名字。"

　　家珍那时开口说话了，她声音沙沙地说：

　　"这孩子生下来没有了娘，就叫他苦根吧。"

　　凤霞死后不到三个月，家珍也死了。家珍死前的那些日子，常对我说：

"福贵，有庆、凤霞是你送的葬，我想到你会亲手埋掉我，就安心了。"

她是知道自己快要死了，反倒显得很安心。那时候她已经没力气坐起来了，闭着眼睛躺在床上，耳朵还很灵，我收工回家推开门，她就会睁开眼睛，嘴巴一动一动，我知道她是在对我说话，那几天她特别爱说话，我就坐在床上，把脸凑下去听她说，那声音轻得跟心跳似的。人啊，活着时受了再多的苦，到了快死的时候也会想个法子来宽慰自己，家珍到那时也想通了，她一遍一遍地对我说：

"这辈子也快过完了，你对我这么好，我也心满意足，我为你生了一双儿女，也算是报答你了，下辈子我们还要在一起过。"

家珍说到下辈子还要做我的女人，我的眼泪就掉了出来，掉到了她脸上。她眼睛眨了两下微微笑了，她说：

"凤霞、有庆都死在我前头，我心也定了，用不着再为他们操心，怎么说我也是做娘的女人，两个孩子活着时都孝顺我，做人能做成这样我该知足了。"

她说我："你还得好好活下去，还有苦根和二喜，二喜其实也是自己的儿子了，苦根长大了会和有庆一样对你好，会孝顺你的。"

家珍是在中午死的。我收工回家，她眼睛睁了睁，我凑过去没听到她说话，就到灶间给她熬了碗粥。等我将粥端过去在床前坐下时，闭着眼睛的家珍突然捏住了我的手，我想不到她还会有这么大的力气，心里吃了一惊，悄悄抽了抽，抽不出来，我赶紧把粥放在一把凳子上，腾出手摸摸她的额头，还暖和着，我才有些放心。家珍像是睡着一样，脸看上去安安静静的，一点都看不出难受来。谁知没一会，家珍捏住我的手凉了，我去摸她的手臂，她的手臂是一截一截地凉下去，那时候她的两条腿也凉了，她全身都凉了，只有胸口还有一块地方暖和着，我的手贴在家珍胸口上，胸口的热气像是从我手指缝里一点一点漏了出来。她捏住我的手后来一松，就瘫在了我的胳膊上。

"家珍死得很好。"福贵说。那个时候下午即将过去了，在田里干活的人开始三三两两走上田埂，太阳挂在西边的天空上，不再那么耀眼，变成了通红一轮，涂在一片红光闪闪的云层上。

福贵微笑地看着我，西落的阳光照在他脸上，显得格外精神。他说：

"家珍死得很好，死得平平安安、干干净净，死后一点是非都没留下，不像村里有些女人，死了还有人说闲话。"

坐在我对面的这位老人，用这样的语气谈论着十多年前死去的妻子，使我内心涌上一股难言的温情，仿佛是一片青草在风中摇曳，我看到宁静在遥远处波动。

四周的人离开后的田野，呈现了舒展的姿态，看上去是那么地广阔，无边无际，在夕阳之中如同水一样泛出片片光芒。福贵的两只手搁在自己腿上，眼睛眯缝着看我，他还没有站起来的意思，我知道他的讲述还没有结束。我心想趁他站起来之前，让他把一切都说完吧。我就问：

"苦根现在有多大了？"

福贵的眼睛里流出了奇妙的神色，我分不清是悲凉，还是欣慰。他的目光从我头发上飘过去，往远处看了看，然后说：

"要是按年头算，苦根今年该有十七岁了。"

家珍死后，我就只有二喜和苦根了。二喜花钱请人做了个背篓，苦根便整天在他爹背脊上了，二喜干活时也就更累，他干搬运活，拉满满一车货物，还得背着苦根，呼哧呼哧的气都快喘不过来了。身上还背着个包裹，里面塞着苦根的尿布，有时天气阴沉，尿布没干，又没换的，只好在板车上绑三根竹竿，两根竖着，一根横着，上面晾着尿布。城里的人见了都笑他，和二喜一起干活的伙伴都知道他苦，见到有人笑话二喜，就骂道：

"你他娘的再笑？再笑就让你哭。"

苦根在背篓里一哭，二喜听哭声就知道是饿了，还是撒尿了，他对我说：

"哭的声音长是饿了，哭的声音短是屁股那地方难受了。"

也真是，苦根拉屎撒尿后哭起来嗯嗯的，起先还觉得他是在笑。这么小的人就知道哭得不一样。那是心疼他爹，一下子就告诉他爹他想干什么，二喜也用不着来回折腾了。

苦根饿了，二喜就放下板车去找正在奶孩子的女人，递上一毛钱轻声说：

"求你喂他几口。"

二喜不像别人家孩子的爹，是看着孩子长大。二喜觉得苦根背在身上又沉了一些，他就知道苦根又大了一些。做爹的心里自然高兴，他对我说：

"苦根又沉了。"

我进城去看他们，常看到二喜拉着板车，汗淋淋地走在街上，苦根在他的背篓里小脑袋吊在外面一摇一摇的。我看二喜太累，劝他把苦根给我，带到乡下去。二喜不答应，他说：

"爹，我离不了苦根。"

好在苦根很快大起来，苦根能走路了，二喜也轻松了一些，他装卸时让苦根在一旁玩，拉起板车就把苦根放到车上。苦根大一些后也知道我是谁了，他常常听到二喜叫我爹，便记住了。我每次进城去看他们，坐在板车里的苦根一看到我，马上尖声叫起来，他朝二喜喊：

"爹，你爹来了。"

这孩子还在他爹背篼里时就会骂人了，生气时小嘴巴噼噼啪啪，脸蛋涨得通红，谁也不知道他在说些什么，只看到唾沫从他嘴里飞出来，只有二喜知道，二喜告诉我：

"他在骂人呢。"

苦根会走路会说几句话后，就更精了，一看到别的孩子手里有什么好玩的，嘻嘻笑着拼命招手，说：

"来，来，来。"

别的孩子走到他跟前，他伸手便要去抢人家手里的东西，人家不给他，他就翻脸，气冲冲地赶人家走，说：

"走，走，走。"

没了凤霞，二喜是再也没有回过魂来，他本来说话不多，凤霞一死，他话就更少了，人家说什么，他嗯一下算是也说了，只有见到我才多说几句。苦根成了我们的命根子，他越往大里长，便越像凤霞，越是像凤霞，也就越让我们看了心里难受。二喜有时看着看着眼泪就掉了出来，我这个做丈人的便劝他：

"凤霞死了也有些日子了，能忘就忘掉她吧。"

那时苦根有三岁了，这孩子坐在凳子上摇晃着两条腿，正使劲在听我们说话，眼睛睁得很圆。二喜歪着脑袋想什么，过了一会才说：

"我只有这点想想凤霞的福分。"

后来我要回村里去，二喜也要去干活了，我们一起走了出去。

185

一到外面，二喜贴着墙壁走起来，歪着脑袋走得飞快，像是怕人认出他来似的，苦根被他拉着，走得跌跌撞撞，身体都斜了。我也不好说他，我知道二喜是没有了凤霞才这样的。邻居家的人见了便朝二喜喊：

"你走慢点，苦根要跌倒啦。"

二喜嗯了一下，还是飞快地往前走。苦根被他爹拉着，身体歪来歪去，眼睛却骨碌骨碌地转来转去。到了转弯的地方，我对二喜说：

"二喜，我回去啦。"

二喜这才站住，翘了翘肩膀看我。我对苦根说：

"苦根，我回去了。"

苦根朝我挥挥手尖声说：

"你走吧。"

我只要一闲下来就往城里去，我在家里待不住，苦根和二喜在城里，我总觉得城里才像是我的家，回到村里孤零零一人心里不踏实。有几次我把苦根带到村里住，苦根倒没什么，高兴得满村跑，让我帮他去捉树上的麻雀，我说我怎么捉呀，这孩子手往上指了指说：

"你爬上去。"

我说："我会摔死的，你不要我的命了？"

他说："我不要你的命，我要麻雀。"

苦根在村里过得挺自在，只是苦了二喜，二喜是一天不见苦根就受不了，每天干完了活，累得人都没力气了，还要走十多里路来看苦根，第二天一早起床又进城去干活了。我想想这样不是个办法，往后天黑前就把苦根送回去。家珍一死，我也就没有了牵挂，到了城里，二喜说：

　　"爹，你就住下吧。"

　　我便在城里住上几天。我要是那么住下去，二喜心里也愿意，他常说家里有三代人总比两代人好，可我不能让二喜养着，我手脚还算利索，能挣钱，我和二喜两个人挣钱，苦根的日子过起来就阔气多了。

　　这样的日子过到苦根四岁那年，二喜死了。二喜是被两排水泥板夹死的。干搬运这活，一不小心就磕破碰伤，可丢了命的只有二喜，徐家的人命都苦。那天二喜他们几个人往板车上装水泥板，二喜站在一排水泥板前面，吊车吊起四块水泥板，不知出了什么差错，竟然往二喜那边去了，谁都没看到二喜在里面，只听他突然大喊一声：

　　"苦根。"

　　二喜的伙伴告诉我，那一声喊把他们全吓住了，想不到二喜竟有这么大的声音，像是把胸膛都喊破了。他们看到二喜时，我的偏头女婿已经死了，身体贴在那一排水泥板上，除了脚和脑袋，身上全给挤扁了，连一根完整的骨头都找不到，血肉跟糨糊似的粘在水泥板上。他们说二喜死的时候脖子突然伸直了，嘴巴张得很大，那是在喊他的儿子。

苦根就在不远处的池塘旁，往水里扔石子，他听到爹临死前的喊叫，便扭过头去叫：

"叫我干什么？"

他等了一会，没听到爹继续喊他，便又扔起了石子。直到二喜被送到医院里，知道二喜死了，才有人去叫苦根：

"苦根，苦根，你爹死啦。"

苦根不知道死究竟是什么，他回头答应了一声：

"知道啦。"

就再没理睬人家，继续往水里扔石子。

那时候我在田里，和二喜一起干活的人跑来告诉我：

"二喜快死啦，在医院里，你快去。"

我一听说二喜出事了被送到医院里，马上就哭了，我对那人喊：

"快把二喜抬出去，不能去医院。"

那人呆呆看着我，以为我疯了。我说：

"二喜一进那家医院，命就难保了。"

有庆、凤霞都死在那家医院里，没想到二喜到头来也死在了那里。你想想，我这辈子三次看到那间躺死人的小屋子，里面三次躺过我的亲人。我老了，受不住这些。去领二喜时，我一见那屋子，就摔在了地上。我是和二喜一样被抬出那家医院的。

二喜死后，我便把苦根带到村里来住了。离开城里那天，我把二喜屋里的用具给了那里的邻居，自己挑了几样轻便的带回来。我拉着苦根走时，天快黑了，邻居家的人都走过来送我，送到街口，他们说：

"以后多回来看看。"

有几个女的还哭了，她们摸着苦根说：

"这孩子真是命苦。"

苦根不喜欢她们把眼泪掉到他脸上，拉着我的手一个劲地催我："走呀，快走呀。"

那时候天冷了，我拉着苦根在街上走，冷风呼呼地往脖子里灌，越走心里越冷，想想从前热热闹闹一家人，到现在只剩下一老一小，我心里苦得连叹息都没有了。可看看苦根，我又宽慰了，先前是没有这孩子的，有了他比什么都强，香火还会往下传，这日子还得好好过下去。

走到一家面条店的地方，苦根突然响亮地喊了一声：

"我不吃面条。"

我想着自己的心事，没留意他的话，走到了门口，苦根又喊了："我不吃面条。"

喊完他拉住我的手不走了，我才知道他想吃面条，这孩子没爹没娘了，想吃面条总该给他吃一碗。我带他进去坐下，花了九分钱买了一小碗面，看着他哧溜哧溜地吃了下去，他吃得满头大汗，出来时舌头还在嘴唇上舔着，对我说：

"明天再来吃好吗？"

我点点头说："好。"

走了没多远，到了一家糖果店前，苦根又拉住了我，他仰着脑袋认真地说：

"本来我还想吃糖，吃过了面条，我就不吃了。"

我知道他是在变个法子想让我给他买糖，我手摸到口袋，摸到个两分的，想了想后就去摸了个五分出来，给苦根买了五颗糖。

苦根到了家说是脚疼得厉害，他走了那么多路，走累了。我让他在床上躺下，自己去烧些热水，让他烫烫脚。烧好了水出来时，苦根睡着了，这孩子把两只脚架在墙上，睡得呼呼的。看着他这副样子，我笑了。脚疼了架在墙上舒服，苦根这么小就会自己照顾自己了。随即心里一酸，他还不知道再也见不着自己的爹了。

这天晚上我睡着后，总觉得心里闷得发慌，醒来才知道苦根的小屁股全压在我胸口上了，我把他的屁股移过去。过了没多久，我刚要入睡时，苦根的屁股一动一动又移到我胸口，我伸手一摸，才知道他尿床了，下面湿了一大块，难怪他要把屁股往我胸口上压。我想就让他压着吧。

第二天，这孩子想爹了。我在田里干活，他坐在田埂上玩，玩着玩着突然问我：

"是你送我回去，还是爹来领我？"

村里人见了他这模样，都摇着头说他可怜，有一个人对他说：

"你不回去了。"

他摇了摇脑袋，认真地说：

"要回去的。"

到了傍晚，苦根看到他爹还没有来，有些急了，小嘴巴翻上翻下把话说得飞快，我是一句也没听懂，我想着他可能是在骂人了，末了，他抬起脑袋说：

"算啦，不来接就不来接，我是小孩认不了路，你送我回去。"

我说："你爹不会来接你，我也不能送你回去，你爹死了。"

他说："我知道他死了，天都黑了还不来领我？"

我是那天晚上躺在被窝里告诉他死是怎么回事，我说人死了就要被埋掉，活着的人就再也见不到他了。这孩子先是害怕得哆嗦，随后想到再也见不到二喜，他呜呜地哭了，小脸蛋贴在我脖子上，热乎乎的眼泪在我胸口流，哭着哭着他睡着了。

过了两天，我想该让他看看二喜的坟了，就拉着他走到村西，告诉他，哪个坟是他外婆的，哪个是他娘的，还有他舅舅的。我还没说二喜的坟，苦根伸手指指他爹的坟哭了，他说：

"这是我爹的。"

我和苦根在一起过了半年，村里包产到户了，日子过起来也就更难。我家分到一亩半地。我没法像从前那样混在村里人中间干活，累了还能偷偷懒。现在田里的活是不停地叫唤我，我不去干，就谁也不会去替我。

年纪一大，人就不行了，腰是天天都疼，眼睛看不清东西。从前挑一担菜进城，一口气便到了城里，如今是走走歇歇，歇歇走走，天亮前两个小时我就得动身，要不去晚了菜会卖不出去，我是笨鸟先飞。这下苦了苦根，这孩子总是睡得最香的时候，被我一把拖起来，两只手抓住后面的箩筐，跟着我半开半闭着眼睛往城里走。苦根是个好孩子，到他完全醒了，看我挑着担子太沉，老是停住歇一会，他就从两只箩筐里拿出两棵菜抱到胸前，走到我前面，还时时回过头来问我：

"轻些了吗？"

我心里高兴啊，就说：

"轻多啦。"

说起来苦根才刚满五岁，他已经是我的好帮手了。我走到哪里，他就跟到哪里，和我一起干活，他连稻子都会割了。我花钱请城里的铁匠给他打了一把小镰刀，那天这孩子高兴坏了，平日里带他进城，一走过二喜家那条胡同，这孩子忽的一下蹿进去，找他的小伙伴去玩，我怎么叫他，他都不答应。那天说是给他打镰刀，他扯住我的衣服就没有放开过，和我一起在铁匠铺子前站了半晌，进来一个人，他就要指着镰刀对那人说：

"是苦根的镰刀。"

他的小伙伴找他去玩，他扭了扭头得意扬扬地说：

"我现在没工夫跟你们说话。"

镰刀打成了，苦根睡觉都想抱着，我不让，他就说放到床下面。早晨醒来第一件事便是去摸床下的镰刀。我告诉他镰刀越使越快，人越勤快就越有力气，这孩子眨着眼睛看了我很久，突然说：

"镰刀越快，我力气也就越大啦。"

苦根总还是小，割稻子自然比我慢多了，他一看到我割得快，便不高兴，朝我叫：

"福贵，你慢点。"

村里人叫我福贵，他也这么叫，也叫我外公。我指指自己割下的稻子说："这是苦根割的。"

他便高兴地笑起来，也指指自己割下的稻子说：

"这是福贵割的。"

苦根年纪小，也就累得快，他时时跑到田埂上躺下睡一会，对我说：

"福贵，镰刀不快啦。"

他是说自己没力气了。他在田埂上躺一会，又站起来神气活现地看我割稻子，不时叫道：

"福贵，别踩着稻穗啦。"

旁边田里的人见了都笑，连队长也笑了，队长也和我一样老了，他还在当队长，他家人多，分到了五亩地，紧挨着我的地。队长说：

"这小子真他娘的能说会道。"

我说:"是凤霞不会说话欠的。"

这样的日子苦是苦,累也是累,心里可是高兴,有了苦根,人活着就有劲头。看着苦根一天一天大起来,我这个做外公的也一天比一天放心。到了傍晚,我们两个人就坐在门槛上,看着太阳掉下去,田野上红红一片闪亮着,听着村里人吆喝的声音,家里养着的两只母鸡在我们面前走来走去,苦根和我亲热,两个人坐在一起,总是有说不完的话,看着两只母鸡,我常想起我爹在世时说的话,便一遍一遍去对苦根说:

"这两只鸡养大了变成鹅,鹅养大了变成羊,羊养大了又变成牛。我们啊,也就越来越有钱啦。"

苦根听后咯咯直笑,这几句话他全记住了,多次他从鸡窝里掏出鸡蛋来时,总要唱着说这几句话。

鸡蛋多了,我们就拿到城里去卖。我对苦根说:

"钱积够了我们就去买牛,你就能骑到牛背上去玩了。"

苦根一听眼睛马上亮了,他说:

"鸡就变成牛啦。"

从那时以后,苦根天天盼着买牛这天的来到,每天早晨他睁开眼睛便要问我:

"福贵,今天买牛吗?"

有时去城里卖了鸡蛋,我觉得苦根可怜,想给他买几颗糖吃吃。苦根就会说:

"买一颗就行了，我们还要买牛呢。"

一转眼苦根到了七岁，这孩子力气也大多了。这一年到了摘棉花的时候，村里的广播说第二天有大雨，我急坏了，我种的一亩半棉花已经熟了，要是雨一淋那就全完蛋。一清早我就把苦根拉到棉花地里，告诉他今天要摘完，苦根仰着脑袋说：

"福贵，我头晕。"

我说："快摘吧，摘完了你就去玩。"

苦根便摘起了棉花，摘了一阵他跑到田埂上躺下，我叫他，叫他别再躺着，苦根说：

"我头晕。"

我想就让他躺一会吧，可苦根一躺下便不起来了，我有些生气，就说：

"苦根，棉花今天不摘完，牛也买不成啦。"

苦根这才站起来，对我说：

"我头晕得厉害。"

我们一直干到中午，看看大半亩棉花摘了下来，我放心了许多，就拉着苦根回家去吃饭，一拉苦根的手，我心里一怔，赶紧去摸他的额头，苦根的额头烫得吓人。我才知道他是真病了，我真是老糊涂了，还逼着他干活。回到家里，我就让苦根躺下。村里人说生姜能治百病，我就给他熬了一碗姜汤，可是家里没有糖，想往里面撒些盐，又觉得太委屈苦根了，便到村里人家那里去要了点糖，我说：

"过些日子卖了粮，我再还给你们。"

那家人说："算啦，福贵。"

让苦根喝了姜汤，我又给他熬了一碗粥，看着他吃下去。我自己也吃了饭，吃完了我还得马上下地，我对苦根说：

"你睡上一觉会好的。"

走出了屋门，我越想越心疼，便去摘了半锅新鲜的豆子，回去给苦根煮熟了，里面放上盐。把凳子搬到床前，半锅豆子放在凳上，叫苦根吃，看到有豆子吃，苦根笑了，我走出去时听到他说：

"你怎么不吃啊。"

我是傍晚才回到屋里的，棉花一摘完，我累得人架子都要散了。从田里到家才一小段路，走到门口我的腿便哆嗦了，我进了屋叫：

"苦根，苦根。"

苦根没答应，我以为他是睡着了，到床前一看，苦根歪在床上，嘴半张着能看到里面有两颗还没嚼烂的豆子。一看那嘴，我脑袋里嗡嗡乱响了，苦根的嘴唇都青了。我使劲摇他，使劲叫他，他的身体晃来晃去，就是不答应我。我慌了，在床上坐下来想了又想，想到苦根会不会是死了，这么一想我忍不住哭了起来。我再去摇他，他还是不答应，我想他可能真是死了。我就走到屋外，看到村里一个年轻人，对他说：

"求你去看看苦根，他像是死了。"

那年轻人看了我半晌，随后拔脚便往我屋里跑。他也把苦根摇了又摇，又将耳朵贴到苦根胸口听了很久，才说：

"听不到心跳。"

村里很多人都来了，我求他们都去看看苦根，他们都去摇摇，听听，完了对我说：

"死了。"

苦根是吃豆子撑死的，这孩子不是嘴馋，是我家太穷，村里谁家的孩子都过得比苦根好，就是豆子，苦根也是难得能吃上。我是老昏了头，给苦根煮了这么多豆子，我老得又笨又蠢，害死了苦根。

往后的日子我只能一个人过了，我总想着自己日子也不长了，谁知一过又过了这些年。我还是老样子，腰还是常常疼，眼睛还是花，我耳朵倒是很灵，村里人说话，我不看也能知道是谁在说。我是有时候想想伤心，有时候想想又很踏实，家里人全是我送的葬，全是我亲手埋的，到了有一天我腿一伸，也不用担心谁了。我也想通了，轮到自己死时，安安心心死就是，不用盼着收尸的人，村里肯定会有人来埋我的，要不我人一臭，那气味谁也受不了。我不会让别人白白埋我的，我在枕头底下压了十元钱，这十元钱我饿死也不会去动它的，村里人都知道这十元钱是给替我收尸的那个人，他们也都知道我死后是要和家珍他们埋在一起的。

这辈子想起来也是很快就过来了，过得平平常常，我爹指望我光耀祖宗，他算是看错人了，我啊，就是这样的命。年轻时靠着祖上留下的钱风光了一阵子，往后就越过越落魄了，这样反倒好，看看我身边的人，龙二和春生，他们也只是风光了一阵子，到头来命都丢了。做人还是平常点好，争这个争那个，争来争去赔了自己的命。像我这样，说起来是越混越没出息，可寿命长，我认识的人一个挨着一个死去，我还活着。

苦根死后第二年，我买牛的钱凑够了，看看自己还得活几年，我觉得牛还是要买的。牛是半个人，它能替我干活，闲下来时我也有个伴，心里闷了就和它说说话。牵着它去水边吃草，就跟拉着个孩子似的。

买牛那天，我把钱揣在怀里走着去新丰，那里是个很大的牛市场。路过邻近一个村庄时，看到晒场上围着一群人，走过去看看，就看到了这头牛，它趴在地上，歪着脑袋吧嗒吧嗒掉眼泪，旁边一个赤膊男人蹲在地上霍霍地磨着牛刀，围着的人在说牛刀从什么地方刺进去最好。我看到这头老牛哭得那么伤心，心里怪难受的。想想做牛真是可怜，累死累活替人干了一辈子，老了，力气小了，就要被人宰了吃掉。

我不忍心看它被宰掉，便离开晒场继续往新丰去。走着走着心里总放不下这头牛，它知道自己要死了，脑袋底下都有一摊眼泪了。

我越走心里越是定不下来，后来一想，干脆把它买下来。我赶紧往回走，走到晒场那里，他们已经绑住了牛脚，我挤上去对那个磨刀的男人说：

"行行好，把这头牛卖给我吧。"

赤膊男人手指试着刀锋，看了我好一会才问：

"你说什么？"

我说："我要买这牛。"

他咧开嘴嘻嘻笑了，旁边的人也哄地笑起来。我知道他们都在笑我，我从怀里抽出钱放到他手里，说：

"你数一数。"

赤膊男人马上傻了，他把我看了又看，还搔搔脖子，问我：

"你当真要买？"

我什么话也不去说，蹲下身子把牛脚上的绳子解了，站起来后拍拍牛的脑袋，这牛还真聪明，知道自己不死了，一下子站起来，也不掉眼泪了。我拉住缰绳对那个男人说：

"你数数钱。"

那人把钱举到眼前像是看看有多厚，看完他说：

"不数了，你拉走吧。"

我便拉着牛走去，他们在后面乱哄哄地笑，我听到那个男人说：

"今天合算，今天合算。"

牛是通人性的，我拉着它往回走时，它知道是我救了它的命，身体老往我身上靠，亲热得很，我对它说：

"你呀，先别这么高兴，我拉你回去是要你干活，不是把你当爹来养着的。"

我拉着牛回到村里，村里人全围上来看热闹，他们都说我老糊涂了，买了这么一头老牛回来，有个人说：

"福贵，我看它年纪比你爹还大。"

会看牛的告诉我，说它最多只能活两年三年的，我想两三年足够了，我自己恐怕还活不到这么久。谁知道我们都活到了今天，村里人又惊又奇，就是前两天，还有人说我们是——

"两个老不死。"

牛到了家，也是我家里的成员了，该给它取个名字，想来想去还是觉得叫它福贵好。定下来叫它福贵，我左看右看都觉得它像我，心里美滋滋的，后来村里人也开始说我们两个很像，我嘿嘿笑，心想我早就知道它像我了。

福贵是好样的，有时候嘛，也要偷偷懒，可人也常常偷懒，就不要说是牛了。我知道什么时候该让它干活，什么时候该让它歇一歇，只要我累了，我知道它也累了，就让它歇一会，我歇得来精神了，那它也该干活了。

老人说着站了起来，拍拍屁股上的尘土，向池塘旁的老牛喊了一声，那牛就走过来，走到老人身旁低下了头。老人把犁扛到肩上，拉着牛的缰绳慢慢走去。

两个福贵的脚上都沾满了泥，走去时都微微晃动着身体。我听到老人对牛说：

"今天有庆、二喜耕了一亩，家珍、凤霞耕了也有七八分田，苦根还小都耕了半亩。你嘛，耕了多少我就不说了，说出来你会觉得我是要羞你。话还得说回来，你年纪大了，能耕这么些田也是尽心尽力了。"

老人和牛渐渐远去，我听到老人粗哑的令人感动的嗓音在远处传来，他的歌声在空旷的傍晚像风一样飘扬，老人唱道——

少年去游荡，中年想掘藏，老年做和尚。

炊烟在农舍的屋顶袅袅升起，在霞光四射的空中分散后消隐了。

女人吆喝孩子的声音此起彼伏，一个男人挑着粪桶从我跟前走过，扁担吱呀吱呀一路响了过去。慢慢地，田野趋向了宁静，四周出现了模糊，霞光逐渐退去。

我知道黄昏正在转瞬即逝，黑夜从天而降了。我看到广阔的土地袒露着结实的胸膛，那是召唤的姿态，就像女人召唤着她们的儿女，土地召唤着黑夜来临。

一九九二年九月三日

附录

韩文版自序

　　我不知道应该怎样来解释这一部作品，这样的任务交给作者去完成是十分困难的，但是我愿意试一试，我希望韩国的读者能够容忍我的冒险。

　　这部作品的题目叫《活着》，作为一个词语，"活着"在我们中国的语言里充满了力量，它的力量不是来自于喊叫，也不是来自于进攻，而是忍受，去忍受生命赋予我们的责任，去忍受现实给予我们的幸福和苦难、无聊和平庸。作为一部作品，《活着》讲述了一个人和他的命运之间的友情，这是最为感人的友情，因为他们互相感激，同时也互相仇恨；他们谁也无法抛弃对方，同时谁也没有理由抱怨对方。他们活着时一起走在尘土飞扬的道路上，死去时又一起化作雨水和泥土。与此同时，《活着》还讲述了人如何去承受巨大的苦难，就像中国的一句成语：千钧一发。让一根头发去承受三万斤的重压，它没有断。我相信，《活着》还讲述了眼泪的宽广和丰富；讲述了绝望的不存在；讲述了人是为了活着本身而活着的，而不是为了活着之外的任何事物而活着。当然，《活着》也讲述了我们中国人这几十年是如何熬过来的。我知道，《活着》所讲述的远不止这些。文学就是这样，它讲述了作家意识到的事物，同时也讲述了作家所没有意识到的，读者就是这时候站出来发言的。

北京，一九九六年十月十七日

日文版自序

　　我曾经以作者的身份议论过福贵的人生。一些意大利的中学生向我提出了一个十分有益的问题："为什么您的小说《活着》在那样一种极端的环境中还要讲生活而不是幸存？生活和幸存之间轻微的分界在哪里？"

　　我的回答是这样的："在中国，对于生活在社会底层的人来说，生活和幸存就是一枚分币的两面，它们之间轻微的分界在于方向的不同。对《活着》而言，生活是一个人对自己经历的感受，而幸存往往是旁观者对别人经历的看法。《活着》中的福贵虽然历经苦难，但是他是在讲述自己的故事。我用的是第一人称的叙述，福贵的讲述里不需要别人的看法，只需要他自己的感受，所以他讲述的是生活。如果用第三人称来叙述，如果有了旁人的看法，那么福贵在读者的眼中就会是一个苦难中的幸存者。"

　　出于上述的理由，我在其他的时候也重复了这样的观点。我说在旁人眼中福贵的一生是苦熬的一生；可是对于福贵自己，我相信他更多地感受到了幸福。于是那些意大利中学生的祖先、伟大的贺拉斯警告我："人的幸福要等到最后，在他生前和葬礼前，无人有权说他幸福。"

贺拉斯的警告让我感到不安。我努力说服自己：以后不要再去议论别人的人生。现在，当角川书店希望我为《活着》写一篇序言时，我想谈谈另外一个话题。我要谈论的话题是——谁创造了故事和神奇？我想应该是时间创造的。我相信是时间创造了诞生和死亡，创造了幸福和痛苦，创造了平静和动荡，创造了记忆和感受，创造了理解和想象，最后创造了故事和神奇。贺知章的《回乡偶书》说的就是时间带来的喜悦和辛酸：

少小离家老大回，
乡音未改鬓毛衰。
儿童相见不相识，
笑问客从何处来。

《太平广记》卷第二百七十四讲述了一个由时间创造的故事。一位名叫崔护的少年，资质甚美可是孤寂寡合。某一年的清明日，崔护独自来到了城南郊外，看到一处花木葱翠的庭院，占地一亩却寂若无人。崔护扣门良久，有一少女娇艳的容貌在门缝中若隐若现，简单的对话之后，崔护以"寻春独行，酒渴求饮"的理由进入院内，崔护饮水期间，少女斜倚着一棵盛开着桃花的小树，"妖姿媚态，绰有余妍"。两人四目相视，久而久之。崔护告辞离去时，少女送至门口。此后的日子里，崔护度日如年，时刻思念着少女的容颜。到了第二年的清明日，崔护终于再次起身前往城南，来到庭院门外，看到花木和门院还是去年的模样，只是人去院空，门上一把大锁显得冰凉和无情。崔护在伤感和叹息里，将一首小诗题在了门上：

> 去年今日此门中，
> 人面桃花相映红。
> 人面不知何处去，
> 桃花依旧笑春风。

这简短的故事说出了时间的意味深长。崔护和少女之间除了四目相视，没有任何其他的交往，只是夜以继日的思念之情，在时间的节奏里各自流淌。在这里，时间隐藏了它的身份，可是又掌握着两个人的命运。我们的阅读无法抚摸它，也无法注视它，可是我们又时刻感受到了它的存在。就像寒冷的来到一样，我们不能注视也不能抚摸，我们只能浑身发抖地去感受。就这样，什么话都不用说，什么行为都不用做，只要有一年的时间，也可以更短暂或者更漫长，崔护和少女玉洁冰清的恋情便会随风消散，便会"人面不知何处去"。类似的叙述在我们的文学里随处可见，让时间中断流动的叙述，然后再从多年以后开始，这时候截然不同的情景不需要铺垫，也不需要解释就自然而然地出现了。在文学的叙述里，没有什么比时间更具有说服力了，因为时间无须通知我们就可以改变一切。

另一个例子来自但丁《神曲》中的诗句。当但丁写到箭离弦击中目标时，他这样写："箭中了目标，离了弦。"这诗句的神奇之处在于但丁改变了语言中的时间顺序，让我们顷刻间感受到了语言带来的速度。这个例子告诉我们，时间不仅仅创造了故事和情节的神奇，同时也创造了句子和细节的神奇。

我曾经在两部非凡的短篇小说里读到了比很多长篇小说还要漫长的时间，一部是美国作家艾萨克·辛格的《傻瓜吉姆佩尔》，另一部是巴西作家若昂·吉马朗埃斯·罗萨的《河的第三条岸》。这两部作品异曲同工，它们都是由时间创造出了叙述，让时间帮助着一个人的一生在几千字的篇幅里栩栩如生。与此同时，文学叙述中的时间还造就了《战争与和平》《静静的顿河》和《百年孤独》的故事和神奇，这些篇幅浩瀚的作品和那些篇幅简短的作品共同指出了文学叙述的品质，这就是时间的神奇。就像树木插满了森林一样，时间的神奇插满了我们的文学。

最后我应该再来说一说《活着》。我想这是关于一个人一生的故事，因此它也表达了时间的漫长和时间的短暂，表达了时间的动荡和时间的宁静。在文学的叙述里，描述一生的方式是表达时间最为直接的方式，我的意思是说时间的变化掌握了《活着》里福贵命运的变化，或者说时间的方式就是福贵活着的方式。我知道是时间的神奇让我完成了《活着》的叙述，可是我不知道《活着》的叙述是否又表达出了这样的神奇？我知道福贵的一生窄如手掌，可是我不知道是否也宽若大地？

北京，二〇〇二年一月十七日

英文版自序

　　我在一九九三年中文版的自序里写下这样一段话："我听到了一首美国民歌《老黑奴》，歌中那位老黑奴经历了一生的苦难，家人都先他而去，而他依然友好地对待这个世界，没有一句抱怨的话。这首歌深深地打动了我，我决定写下一篇这样的小说，就是这篇《活着》。"

　　作家的写作往往是从一个微笑、一个手势、一个转瞬即逝的记忆、一句随便的谈话、一段散落在报纸夹缝中的消息开始的，这些水珠般微小的细节有时候会勾起漫长的命运和波澜壮阔的场景。《活着》的写作也不例外，一首美国的民歌，寥寥数行的表达，成长了福贵动荡和苦难的一生，也是平静和快乐的一生。

　　老黑奴和福贵，这是两个截然不同的人。他们生活在不同的国家，经历着不同的时代，属于不同的民族和不同的文化，有着不同的肤色和不同的嗜好，然而有时候他们就像是同一个人。这是因为所有的不同都无法抵挡一个基本的共同之处，人的共同之处。人的体验和欲望还有想象和理解，会取消所有不同的界限，会让一个人从他人的经历里感受到自己的命运，就像是在不同的镜子里看到的都是自己的形象。我想这就是文学的神奇，这样的神奇曾经让我，一位遥远的中国读者在纳撒尼尔·霍桑、威廉·福克纳和托妮·莫里森的作品里读到我自己。

北京，二〇〇二年四月二十六日

麦田新版自序

今年是麦田出版公司成立十五年，《活着》中文繁体字出版十四年。麦田的林秀梅打来电话，告诉我，《活着》在台湾出版十四年来，每年加印，麦田决定出版《活着》的经典纪念版，希望我为此作序。

我能写下些什么呢？往事如烟，可我记忆犹新。一九八九年的时候，当时还在远流出版公司主持文学和电影出版的陈雨航来到北京，与我签下了两本小说集的中文繁体字出版合同。在台湾，是陈雨航发现了我，是他把我的作品带到了台湾。那些日子我们经常通信，我已经习惯了远流出版公司的信封和陈雨航的笔迹。两年多以后我收到了陈雨航的一封信，仍然是熟悉的笔迹，却不是熟悉的远流信封了。陈雨航告诉我，他辞职离开远流了。差不多一年过去后，陈雨航和苏拾平来到北京，我才知道他们成立了麦田出版公司。

《活着》是我在麦田出版的第一部小说，后来我全部的小说都在麦田出版了。十多年的同舟共济以后，我很荣幸《活着》是麦田出版图书中的元老。一九九四年初版时的编辑是陈雨航，二〇〇〇年改版后的编辑是林秀梅，二〇〇五年再次改版后的编辑是胡金伦，不知道这次经典版的编辑是谁？

　　我已经为《活着》写下过四篇序言，这是第五篇。回顾过去，我感觉自己长时期生活在现实和虚构的交界处，作家的生活可能就是如此，在现实和虚构之间来来去去，有时候现实会被虚构，有时候虚构突然成为了现实。十五年前我在《活着》里写下了一个名叫福贵的人，现在当我回想这个福贵时，时常觉得他不是一个小说中的人物，而是我生活中曾经出现过的一位朋友。

　　一九九二年春节后，我在北京一间只有八平方米的平房里开始写作《活着》，秋天的时候在上海华东师大招待所的一个房间里修改定稿。最初的时候我是用旁观者的角度来写作福贵的一生，可是困难重重，我的写作难以为继；有一天我突然从第一人称的角度出发，让福贵出来讲述自己的生活，于是奇迹出现了，同样的构思，用第三人称的方式写作时无法前进，用第一人称的方式写作后竟然没有任何阻挡，我十分顺利地写完了《活着》。

　　也许这就是我们经常所说的命运。写作和人生其实一模一样，我们都是这个世界上的迷路者，我们都是按照自己认定的道路寻找方向，也许我们是对的，也许我们错了，或者有时候对了，有时候错了。在中国人所说的盖棺论定之前，在古罗马人所说的出生之前和死去之前，我们谁也不知道在前面的时间里等待我们的是什么。

为何我当初的写作突然从第三人称的角度转化为第一人称？现在，当写作《活着》的经历成为过去，当我可以回首往事了，我宁愿十分现实地将此理解为一种人生态度的选择，而不愿去确认所谓命运的神秘借口。为什么？因为我得到了一个最为朴素的答案。《活着》里的福贵经历了多于常人的苦难，如果从旁观者的角度，福贵的一生除了苦难还是苦难，其他什么都没有；可是当福贵从自己的角度出发，来讲述自己的一生时，他苦难的经历里立刻充满了幸福和欢乐，他相信自己的妻子是世上最好的妻子，他相信自己的子女也是世上最好的子女，还有他的女婿他的外孙，还有那头也叫福贵的老牛，还有曾经一起生活过的朋友们，还有生活的点点滴滴……

我在阅读别人的作品时，有时候会影响自己的人生态度；而我自己写下的作品，有时候也同样会影响自己的人生态度。《活着》里的福贵就让我相信：生活是属于每个人自己的感受，不属于任何别人的看法。

我想，这可能是二十多年写作给予我的酬谢。

二〇〇七年五月十五日

图书在版编目（CIP）数据

活着／余华著．——2版．——北京：北京十月文艺
出版社，2021.7
ISBN 978-7-5302-2153-2

Ⅰ.①活… Ⅱ.①余… Ⅲ.①长篇小说－中国－当代
Ⅳ.①I247.5

中国版本图书馆 CIP 数据核字（2021）第 092050 号

活着
HUOZHE

余华 著

出　　版	北 京 出 版 集 团	
	北京十月文艺出版社	
地　　址	北京北三环中路 6 号	
邮　　编	100120	
网　　址	www.bph.com.cn	
发　　行	新经典发行有限公司	
	电话 (010)68423599	
经　　销	新华书店	
印　　刷	北京盛通印刷股份有限公司	
版　　次	2021 年 7 月第 2 版	
	2022 年 3 月第 7 次印刷	
开　　本	850 毫米 ×1168 毫米　1/32	
印　　张	7	
字　　数	132 千字	
书　　号	ISBN 978-7-5302-2153-2	
定　　价	45.00 元	

质量监督电话　010-58572393
如有印装质量问题，由本社负责调换